FONDUES ET FLAMBÉES
de maman Lapointe

- La maquette de la page couverture est de JACQUES DESROSIERS
- La maquette et la mise en pages sont de MARCEL GUITÉ
- La photo de la page couverture ainsi que les illustrations en couleurs proviennent des séries ARNE KRÜGERS KOCHKARTEN [« Flambieren für Geniesser » et « Fondues für Geniesser » Grafe und Unzer Verlag, München].
- Les illustrations sont une courtoisie de la maison ROBIN HOOD et sont extraites du livre LA CUISINE CANADIENNE À LA FARINE ROBIN HOOD, publié en 1969 aux Editions de l'Homme.

- Distributeur exclusif:
  AGENCE DE DISTRIBUTION POPULAIRE INC.
  1130 est, rue de La Gauchetière
  Montréal 132 (523-1600)

 2

LES ÉDITIONS DE L'HOMME LTÉE

Dépôt légal — 4e trimestre 1970
Bibliothèque nationale du Québec

Suzanne Lapointe

FONDUES ET FLAMBÉES
de maman Lapointe

LES ÉDITIONS DE L'HOMME
1130 EST, RUE DE LA GAUCHETIÈRE, MONTRÉAL 132

SOMMAIRE

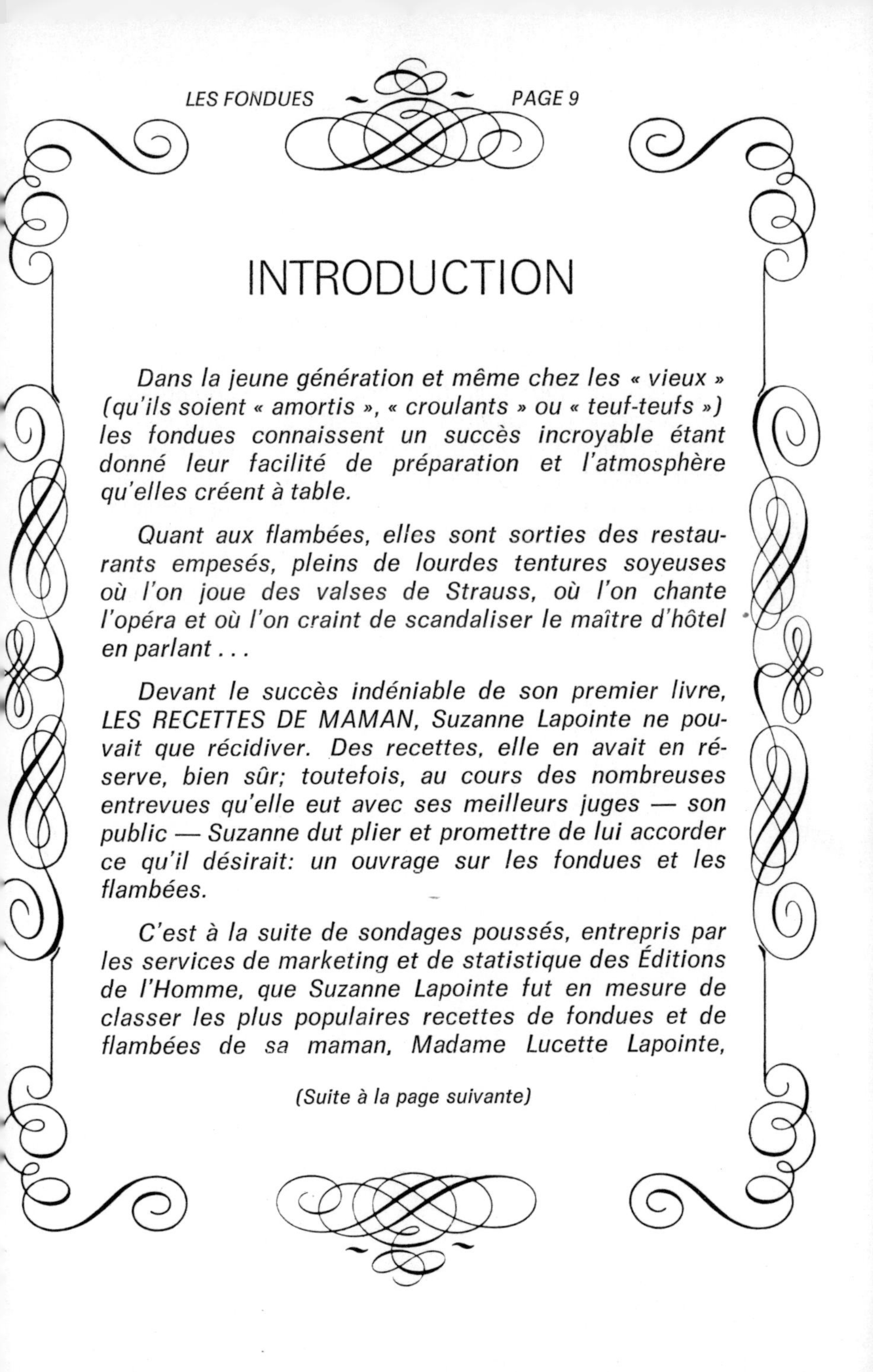

INTRODUCTION

Dans la jeune génération et même chez les « vieux » (qu'ils soient « amortis », « croulants » ou « teuf-teufs ») les fondues connaissent un succès incroyable étant donné leur facilité de préparation et l'atmosphère qu'elles créent à table.

Quant aux flambées, elles sont sorties des restaurants empesés, pleins de lourdes tentures soyeuses où l'on joue des valses de Strauss, où l'on chante l'opéra et où l'on craint de scandaliser le maître d'hôtel en parlant . . .

Devant le succès indéniable de son premier livre, LES RECETTES DE MAMAN, Suzanne Lapointe ne pouvait que récidiver. Des recettes, elle en avait en réserve, bien sûr; toutefois, au cours des nombreuses entrevues qu'elle eut avec ses meilleurs juges — son public — Suzanne dut plier et promettre de lui accorder ce qu'il désirait: un ouvrage sur les fondues et les flambées.

C'est à la suite de sondages poussés, entrepris par les services de marketing et de statistique des Éditions de l'Homme, que Suzanne Lapointe fut en mesure de classer les plus populaires recettes de fondues et de flambées de sa maman, Madame Lucette Lapointe,

(Suite à la page suivante)

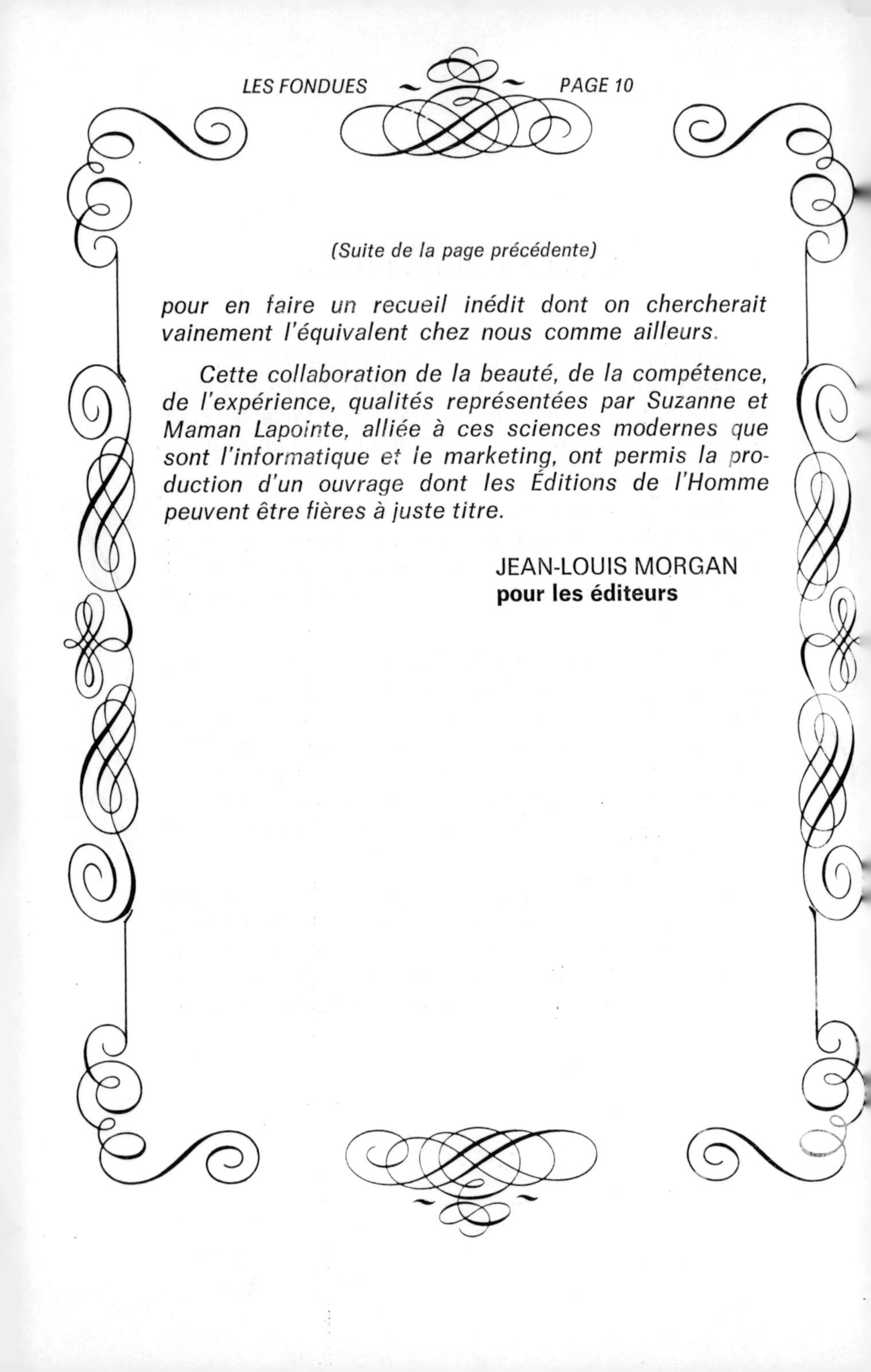

(Suite de la page précédente)

pour en faire un recueil inédit dont on chercherait vainement l'équivalent chez nous comme ailleurs.

Cette collaboration de la beauté, de la compétence, de l'expérience, qualités représentées par Suzanne et Maman Lapointe, alliée à ces sciences modernes que sont l'informatique et le marketing, ont permis la production d'un ouvrage dont les Éditions de l'Homme peuvent être fières à juste titre.

JEAN-LOUIS MORGAN
pour les éditeurs

Première Partie

La Fondue

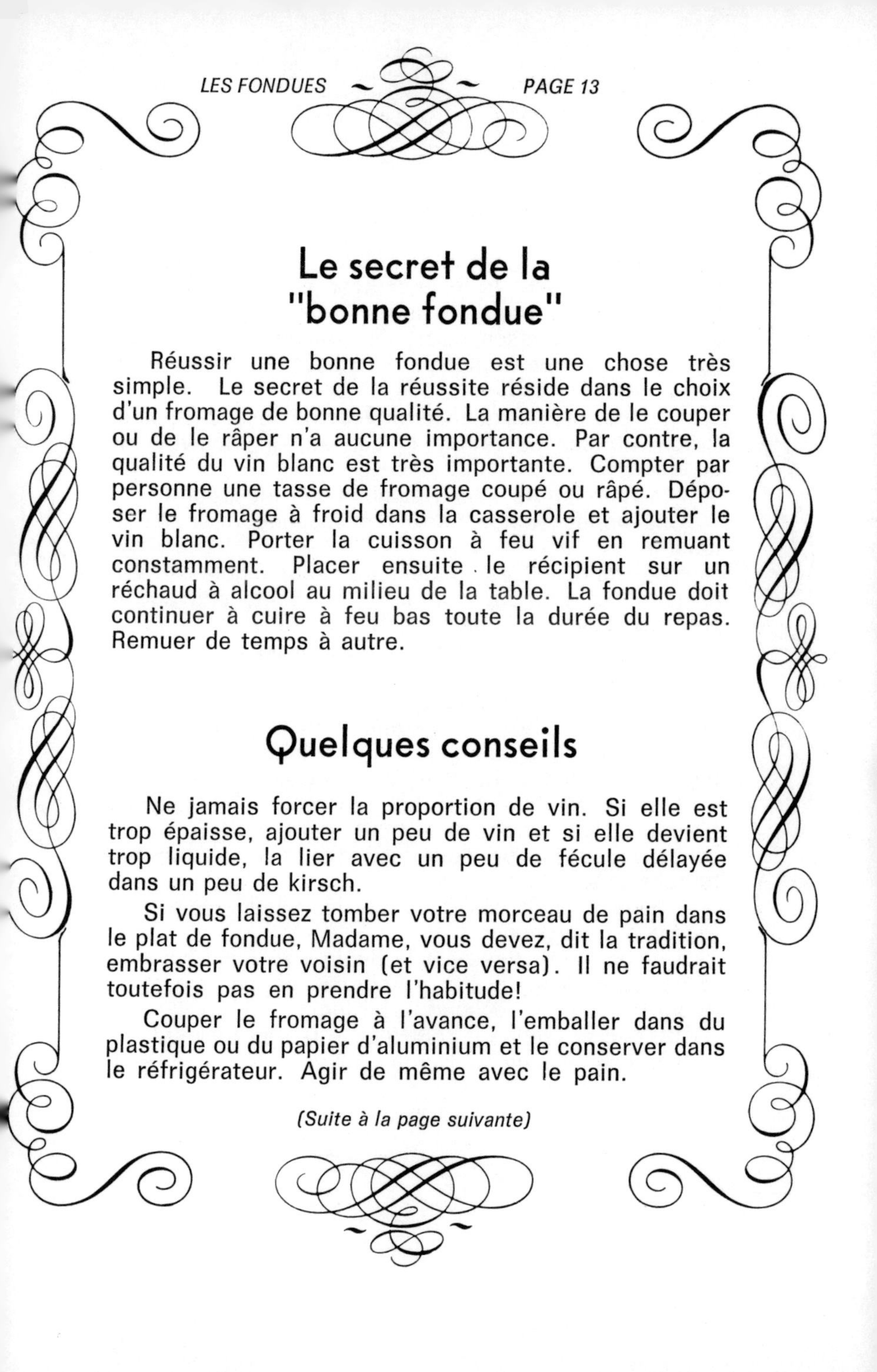

Le secret de la "bonne fondue"

Réussir une bonne fondue est une chose très simple. Le secret de la réussite réside dans le choix d'un fromage de bonne qualité. La manière de le couper ou de le râper n'a aucune importance. Par contre, la qualité du vin blanc est très importante. Compter par personne une tasse de fromage coupé ou râpé. Déposer le fromage à froid dans la casserole et ajouter le vin blanc. Porter la cuisson à feu vif en remuant constamment. Placer ensuite le récipient sur un réchaud à alcool au milieu de la table. La fondue doit continuer à cuire à feu bas toute la durée du repas. Remuer de temps à autre.

Quelques conseils

Ne jamais forcer la proportion de vin. Si elle est trop épaisse, ajouter un peu de vin et si elle devient trop liquide, la lier avec un peu de fécule délayée dans un peu de kirsch.

Si vous laissez tomber votre morceau de pain dans le plat de fondue, Madame, vous devez, dit la tradition, embrasser votre voisin (et vice versa). Il ne faudrait toutefois pas en prendre l'habitude!

Couper le fromage à l'avance, l'emballer dans du plastique ou du papier d'aluminium et le conserver dans le réfrigérateur. Agir de même avec le pain.

(Suite à la page suivante)

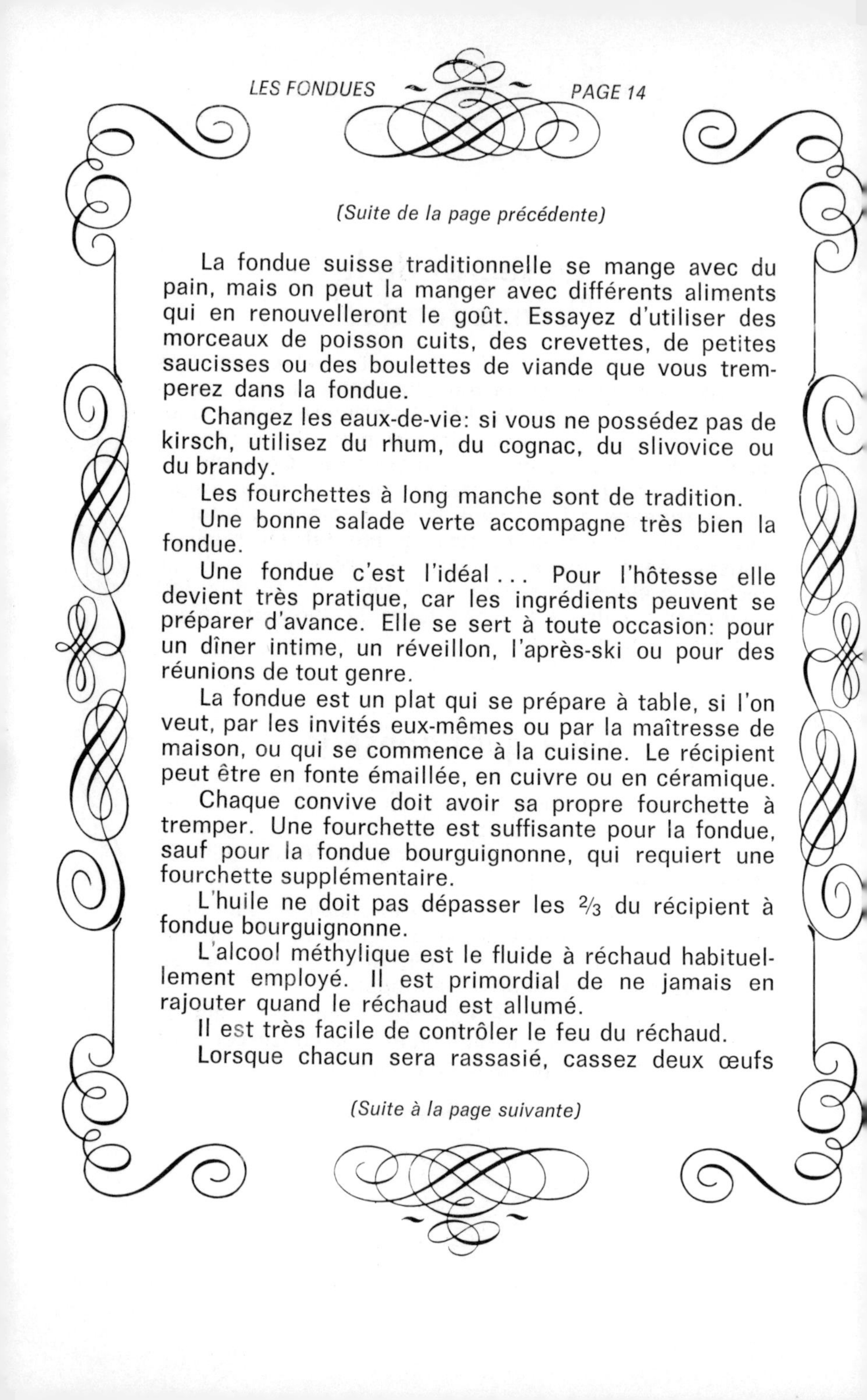

(Suite de la page précédente)

La fondue suisse traditionnelle se mange avec du pain, mais on peut la manger avec différents aliments qui en renouvelleront le goût. Essayez d'utiliser des morceaux de poisson cuits, des crevettes, de petites saucisses ou des boulettes de viande que vous tremperez dans la fondue.

Changez les eaux-de-vie: si vous ne possédez pas de kirsch, utilisez du rhum, du cognac, du slivovice ou du brandy.

Les fourchettes à long manche sont de tradition.

Une bonne salade verte accompagne très bien la fondue.

Une fondue c'est l'idéal . . . Pour l'hôtesse elle devient très pratique, car les ingrédients peuvent se préparer d'avance. Elle se sert à toute occasion: pour un dîner intime, un réveillon, l'après-ski ou pour des réunions de tout genre.

La fondue est un plat qui se prépare à table, si l'on veut, par les invités eux-mêmes ou par la maîtresse de maison, ou qui se commence à la cuisine. Le récipient peut être en fonte émaillée, en cuivre ou en céramique.

Chaque convive doit avoir sa propre fourchette à tremper. Une fourchette est suffisante pour la fondue, sauf pour la fondue bourguignonne, qui requiert une fourchette supplémentaire.

L'huile ne doit pas dépasser les ⅔ du récipient à fondue bourguignonne.

L'alcool méthylique est le fluide à réchaud habituellement employé. Il est primordial de ne jamais en rajouter quand le réchaud est allumé.

Il est très facile de contrôler le feu du réchaud.

Lorsque chacun sera rassasié, cassez deux œufs

(Suite à la page suivante)

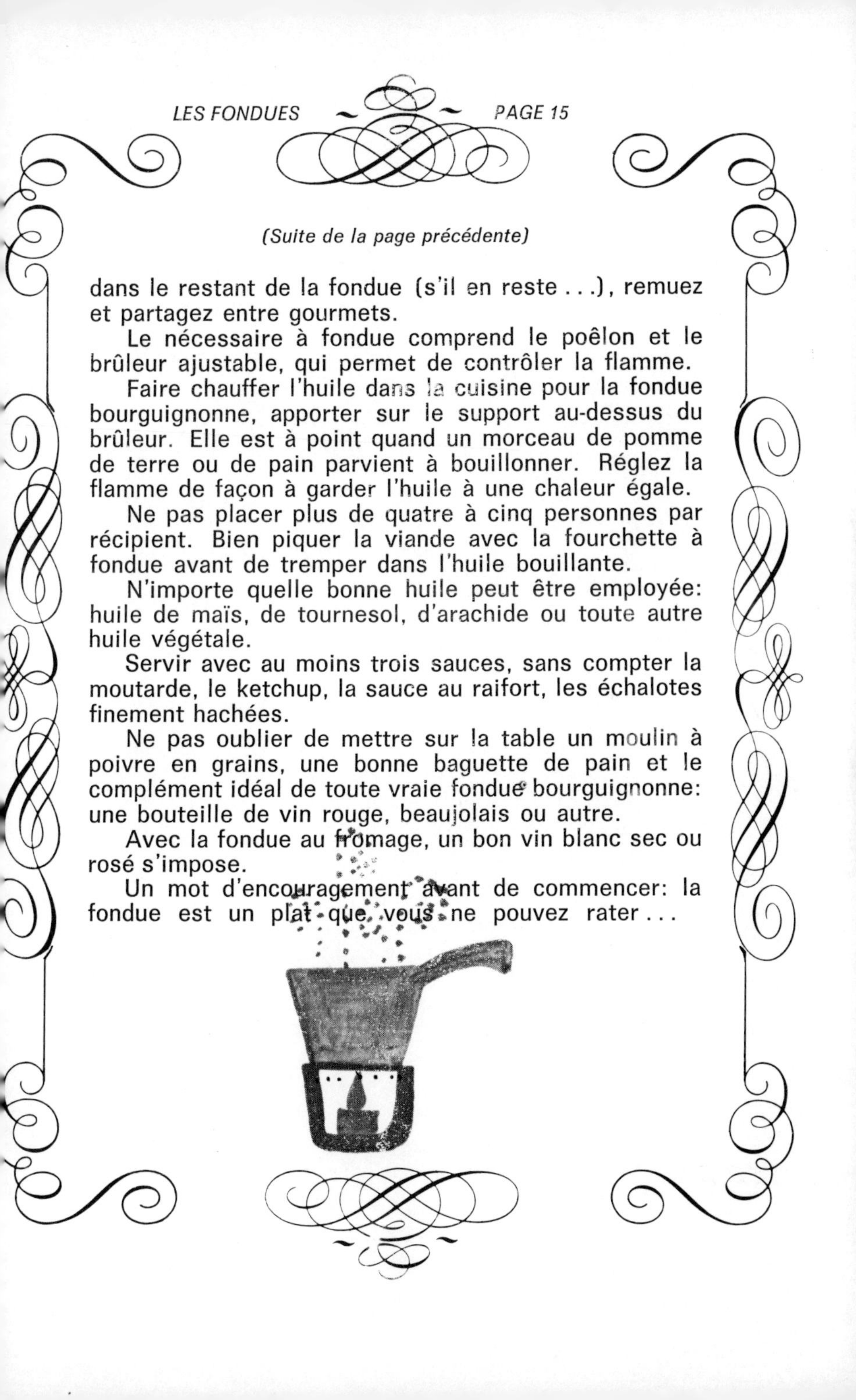

(Suite de la page précédente)

dans le restant de la fondue (s'il en reste . . .), remuez et partagez entre gourmets.

Le nécessaire à fondue comprend le poêlon et le brûleur ajustable, qui permet de contrôler la flamme.

Faire chauffer l'huile dans la cuisine pour la fondue bourguignonne, apporter sur le support au-dessus du brûleur. Elle est à point quand un morceau de pomme de terre ou de pain parvient à bouillonner. Réglez la flamme de façon à garder l'huile à une chaleur égale.

Ne pas placer plus de quatre à cinq personnes par récipient. Bien piquer la viande avec la fourchette à fondue avant de tremper dans l'huile bouillante.

N'importe quelle bonne huile peut être employée: huile de maïs, de tournesol, d'arachide ou toute autre huile végétale.

Servir avec au moins trois sauces, sans compter la moutarde, le ketchup, la sauce au raifort, les échalotes finement hachées.

Ne pas oublier de mettre sur la table un moulin à poivre en grains, une bonne baguette de pain et le complément idéal de toute vraie fondue bourguignonne: une bouteille de vin rouge, beaujolais ou autre.

Avec la fondue au fromage, un bon vin blanc sec ou rosé s'impose.

Un mot d'encouragement avant de commencer: la fondue est un plat que vous ne pouvez rater . . .

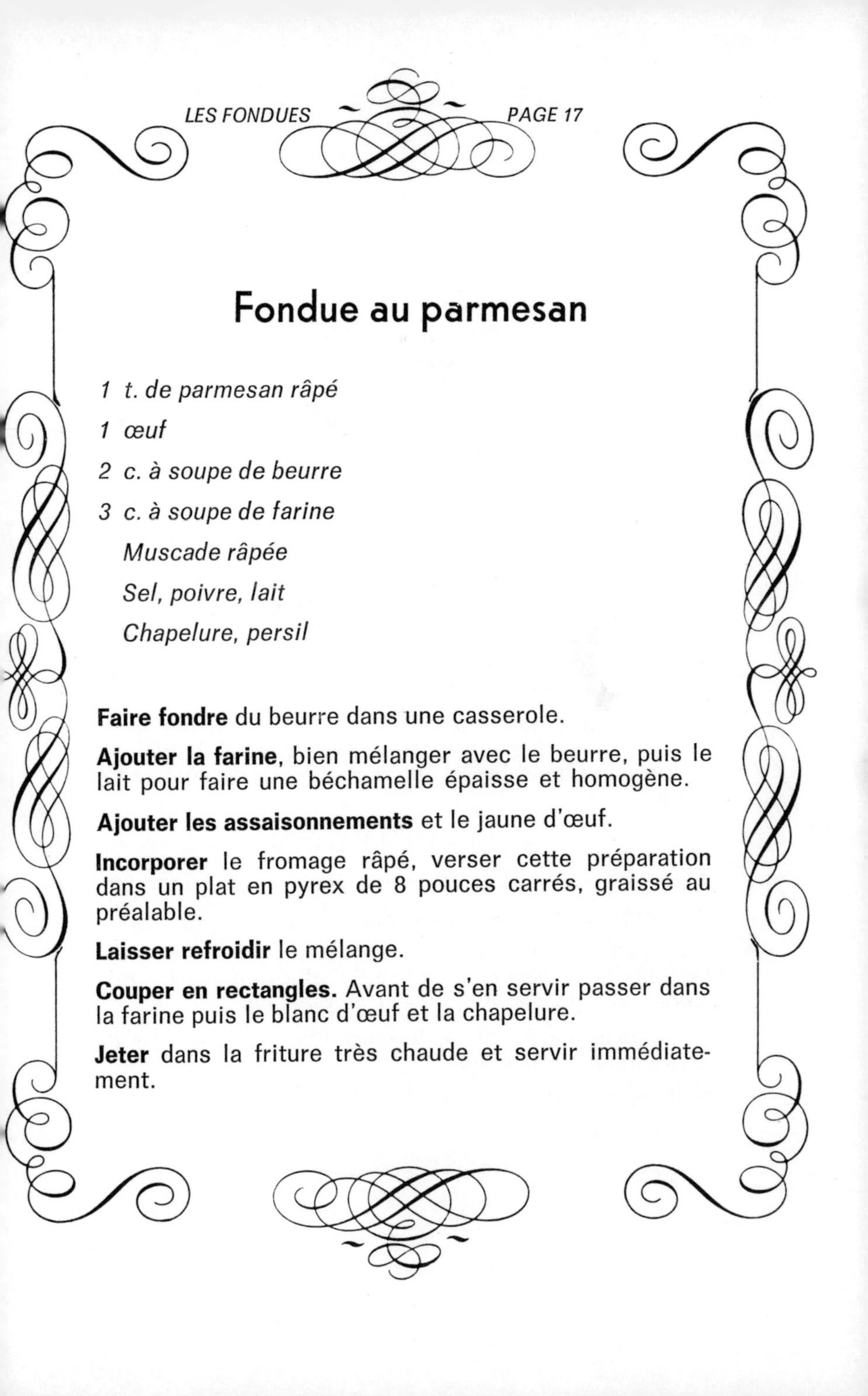

Fondue au parmesan

1 t. de parmesan râpé
1 œuf
2 c. à soupe de beurre
3 c. à soupe de farine
Muscade râpée
Sel, poivre, lait
Chapelure, persil

Faire fondre du beurre dans une casserole.

Ajouter la farine, bien mélanger avec le beurre, puis le lait pour faire une béchamelle épaisse et homogène.

Ajouter les assaisonnements et le jaune d'œuf.

Incorporer le fromage râpé, verser cette préparation dans un plat en pyrex de 8 pouces carrés, graissé au préalable.

Laisser refroidir le mélange.

Couper en rectangles. Avant de s'en servir passer dans la farine puis le blanc d'œuf et la chapelure.

Jeter dans la friture très chaude et servir immédiatement.

Fondue bourguignonne

Préparer 7 oz par personne de faux filet, filet de bœuf ou surlonge, coupé en cubes.

Chauffer sur le poêle une chopine d'huile d'arachide ou de tournesol dans un plat à fondue dans lequel on ajoute une bonne feuille de laurier et ¼ de pomme de terre.

AU MOMENT DE SERVIR:

Allumer le réchaud de table et y placer le plat à fondue.

Attention: c'est très, très chaud!

Les invités utilisent leur fourchette à fondue pour tremper leur viande dans l'huile et d'une autre, ordinaire, pour porter la viande à leur bouche.

Une bonne salade et un dessert font, avec la fondue, une agréable réception.

Nombre idéal de convives: entre quatre et six.

Vin suggéré: beaujolais.

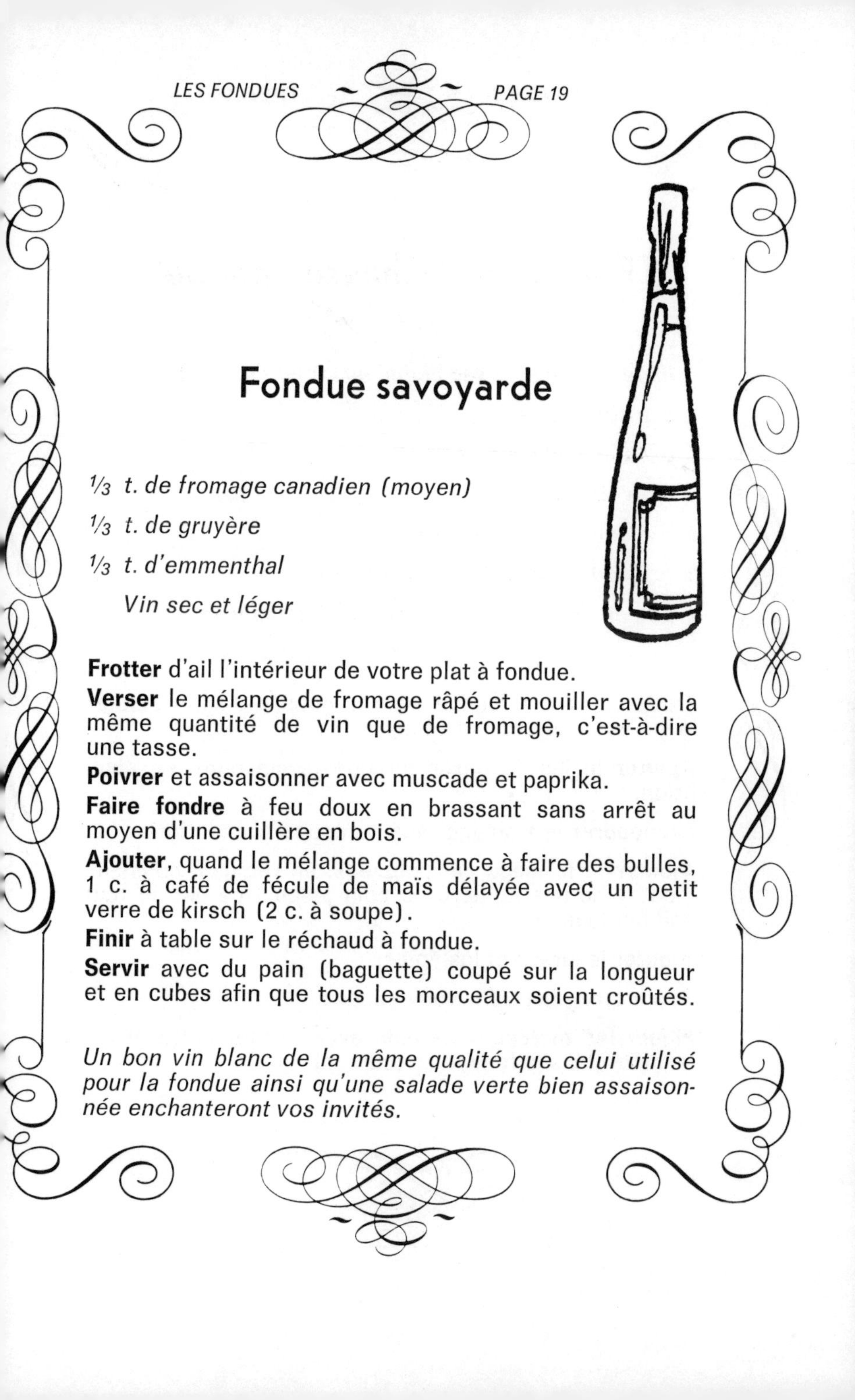

Fondue savoyarde

1/3 t. de fromage canadien (moyen)

1/3 t. de gruyère

1/3 t. d'emmenthal

Vin sec et léger

Frotter d'ail l'intérieur de votre plat à fondue.

Verser le mélange de fromage râpé et mouiller avec la même quantité de vin que de fromage, c'est-à-dire une tasse.

Poivrer et assaisonner avec muscade et paprika.

Faire fondre à feu doux en brassant sans arrêt au moyen d'une cuillère en bois.

Ajouter, quand le mélange commence à faire des bulles, 1 c. à café de fécule de maïs délayée avec un petit verre de kirsch (2 c. à soupe).

Finir à table sur le réchaud à fondue.

Servir avec du pain (baguette) coupé sur la longueur et en cubes afin que tous les morceaux soient croûtés.

Un bon vin blanc de la même qualité que celui utilisé pour la fondue ainsi qu'une salade verte bien assaisonnée enchanteront vos invités.

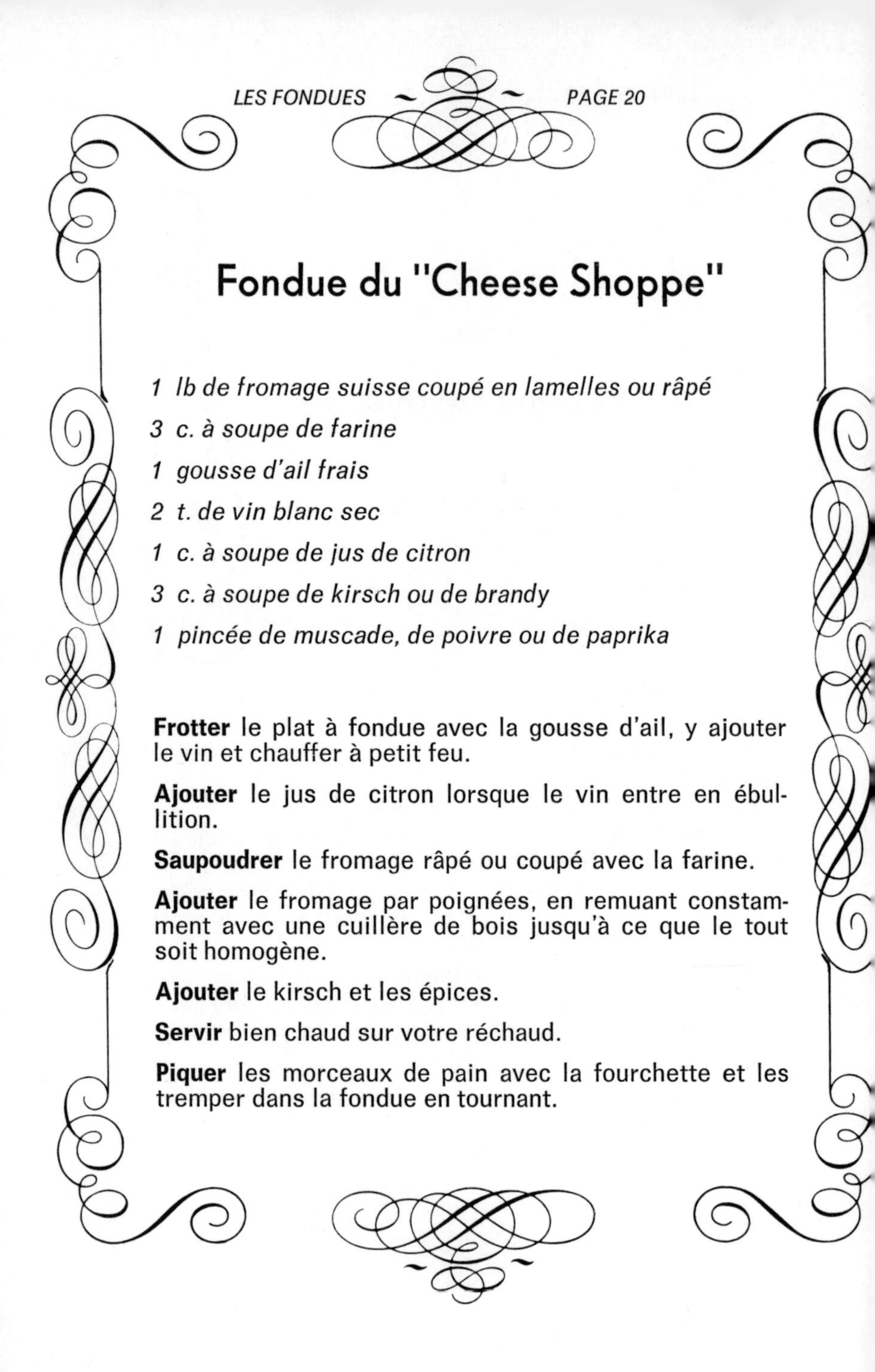

Fondue du "Cheese Shoppe"

1 lb de fromage suisse coupé en lamelles ou râpé

3 c. à soupe de farine

1 gousse d'ail frais

2 t. de vin blanc sec

1 c. à soupe de jus de citron

3 c. à soupe de kirsch ou de brandy

1 pincée de muscade, de poivre ou de paprika

Frotter le plat à fondue avec la gousse d'ail, y ajouter le vin et chauffer à petit feu.

Ajouter le jus de citron lorsque le vin entre en ébullition.

Saupoudrer le fromage râpé ou coupé avec la farine.

Ajouter le fromage par poignées, en remuant constamment avec une cuillère de bois jusqu'à ce que le tout soit homogène.

Ajouter le kirsch et les épices.

Servir bien chaud sur votre réchaud.

Piquer les morceaux de pain avec la fourchette et les tremper dans la fondue en tournant.

Raclette

Prendre un gros morceau de fromage, soit du gruyère, de l'emmenthal, du mozzarella ou du canadien blanc.

Faire un feu de gril au charbon ou au bois.

Tenir le morceau de fromage près du feu; aussitôt le côté bien amolli, passer la raclette sur le morceau de fromage et servir au fur et à mesure à vos invités.

Délicieux avec des pommes de terre bouillies ou cuites au charbon de bois sur le feu de gril.

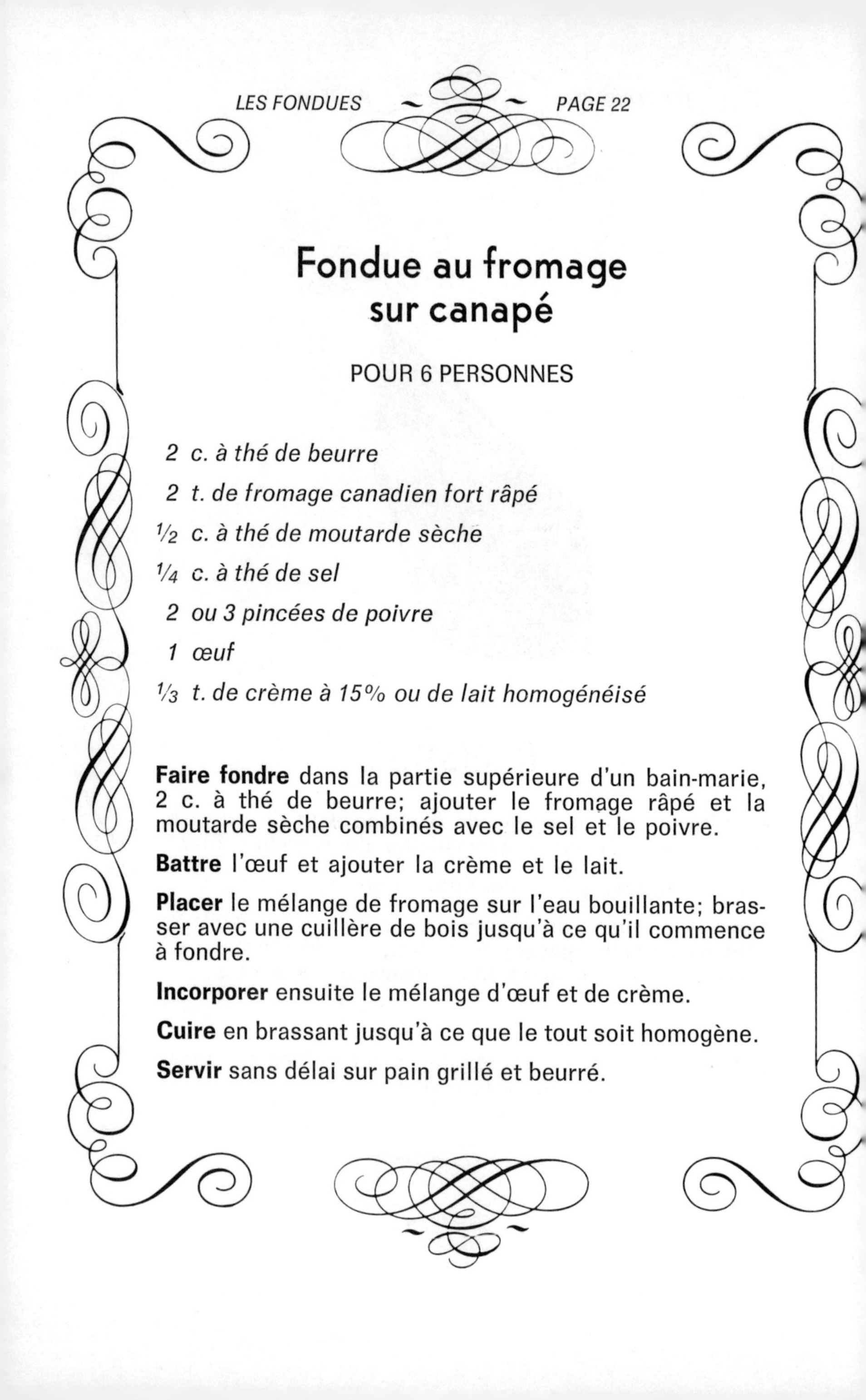

Fondue au fromage sur canapé

POUR 6 PERSONNES

2 c. à thé de beurre

2 t. de fromage canadien fort râpé

½ c. à thé de moutarde sèche

¼ c. à thé de sel

2 ou 3 pincées de poivre

1 œuf

⅓ t. de crème à 15% ou de lait homogénéisé

Faire fondre dans la partie supérieure d'un bain-marie, 2 c. à thé de beurre; ajouter le fromage râpé et la moutarde sèche combinés avec le sel et le poivre.

Battre l'œuf et ajouter la crème et le lait.

Placer le mélange de fromage sur l'eau bouillante; brasser avec une cuillère de bois jusqu'à ce qu'il commence à fondre.

Incorporer ensuite le mélange d'œuf et de crème.

Cuire en brassant jusqu'à ce que le tout soit homogène.

Servir sans délai sur pain grillé et beurré.

Fondue "moitié moitié" du "Cheese Shoppe"

1 gousse d'ail frais
½ lb de gruyère
½ lb de fromage canadien ou de cheddar doux
2 c. à soupe de farine
2 t. de vin blanc sec
3 c. à soupe de kirsch ou de brandy
1 pincée de muscade (de poivre ou de paprika)

Saupoudrer le fromage avec un peu de farine.

Frotter le plat à fondue avec la gousse d'ail; y ajouter le vin et faire cuire à petit feu.

Ajouter le fromage par poignées, lorsque le vin entre en ébullition, en remuant constamment avec une cuillère de bois, jusqu'à ce que le fromage soit fondu.

Ajouter le kirsch et les épices et remuer jusqu'à ce que le tout soit homogène.

Servir avec des croûtons de pain.

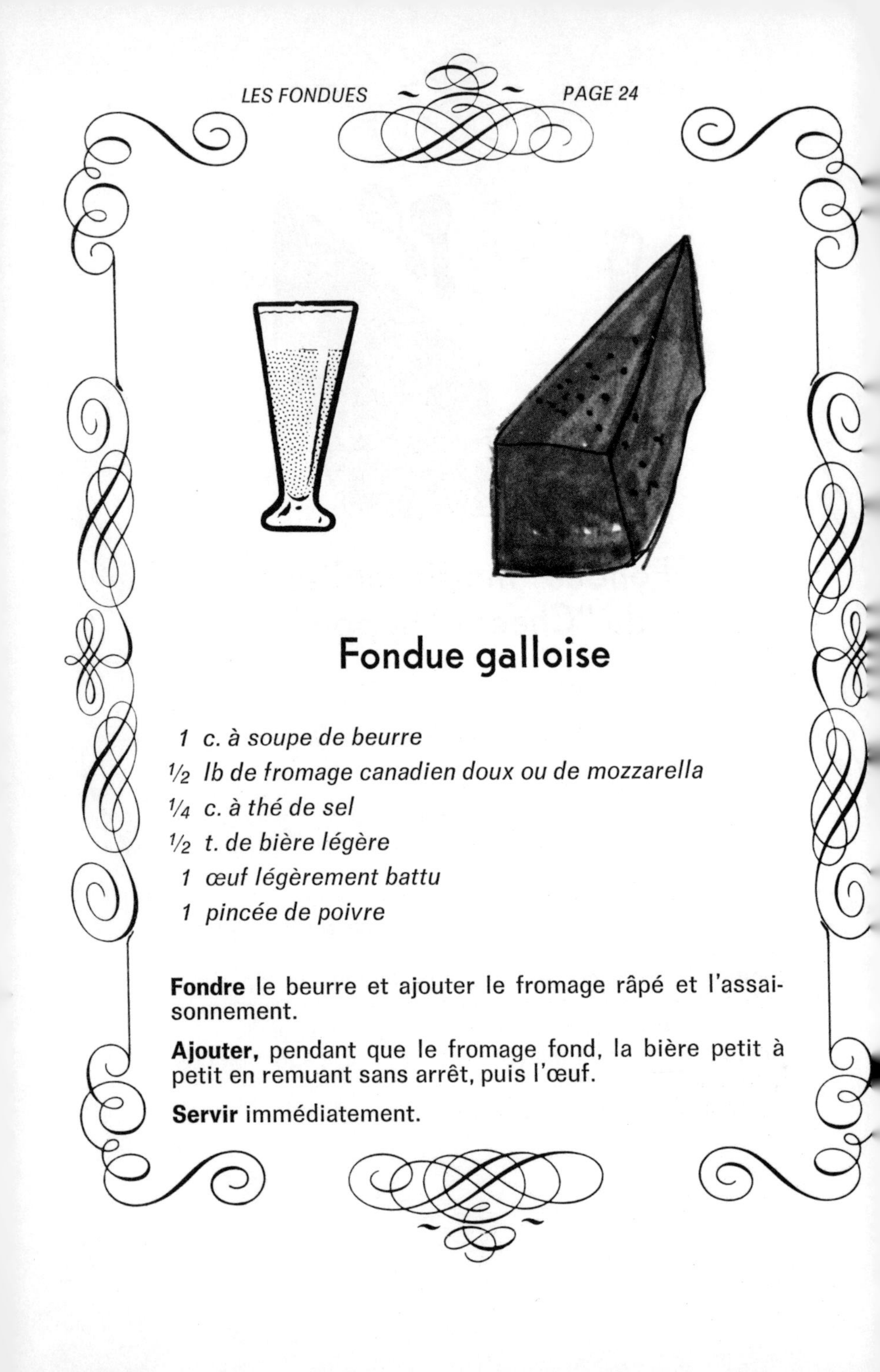

Fondue galloise

1 c. à soupe de beurre
½ lb de fromage canadien doux ou de mozzarella
¼ c. à thé de sel
½ t. de bière légère
1 œuf légèrement battu
1 pincée de poivre

Fondre le beurre et ajouter le fromage râpé et l'assaisonnement.

Ajouter, pendant que le fromage fond, la bière petit à petit en remuant sans arrêt, puis l'œuf.

Servir immédiatement.

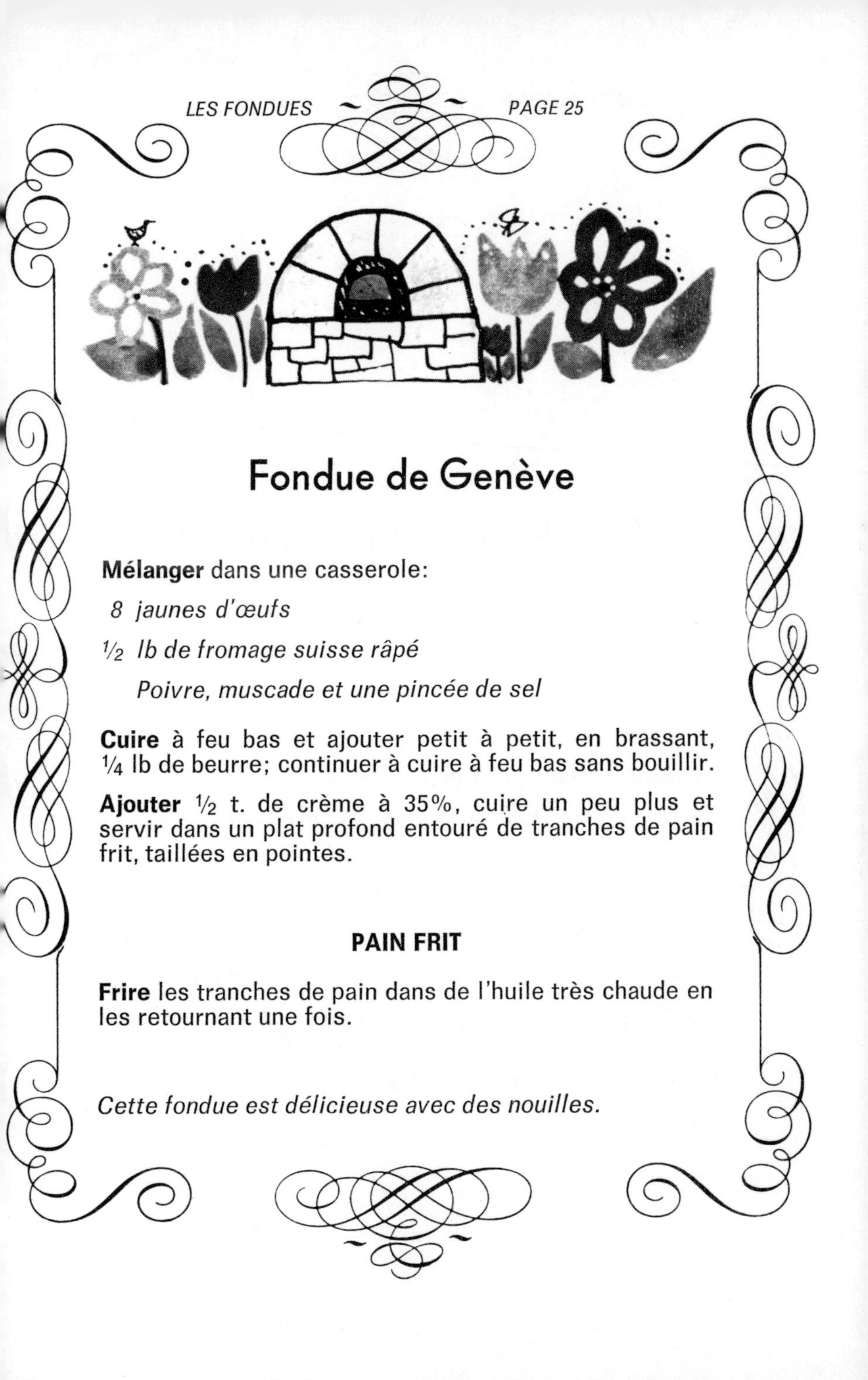

Fondue de Genève

Mélanger dans une casserole:

8 jaunes d'œufs

½ lb de fromage suisse râpé

Poivre, muscade et une pincée de sel

Cuire à feu bas et ajouter petit à petit, en brassant, ¼ lb de beurre; continuer à cuire à feu bas sans bouillir.

Ajouter ½ t. de crème à 35%, cuire un peu plus et servir dans un plat profond entouré de tranches de pain frit, taillées en pointes.

PAIN FRIT

Frire les tranches de pain dans de l'huile très chaude en les retournant une fois.

Cette fondue est délicieuse avec des nouilles.

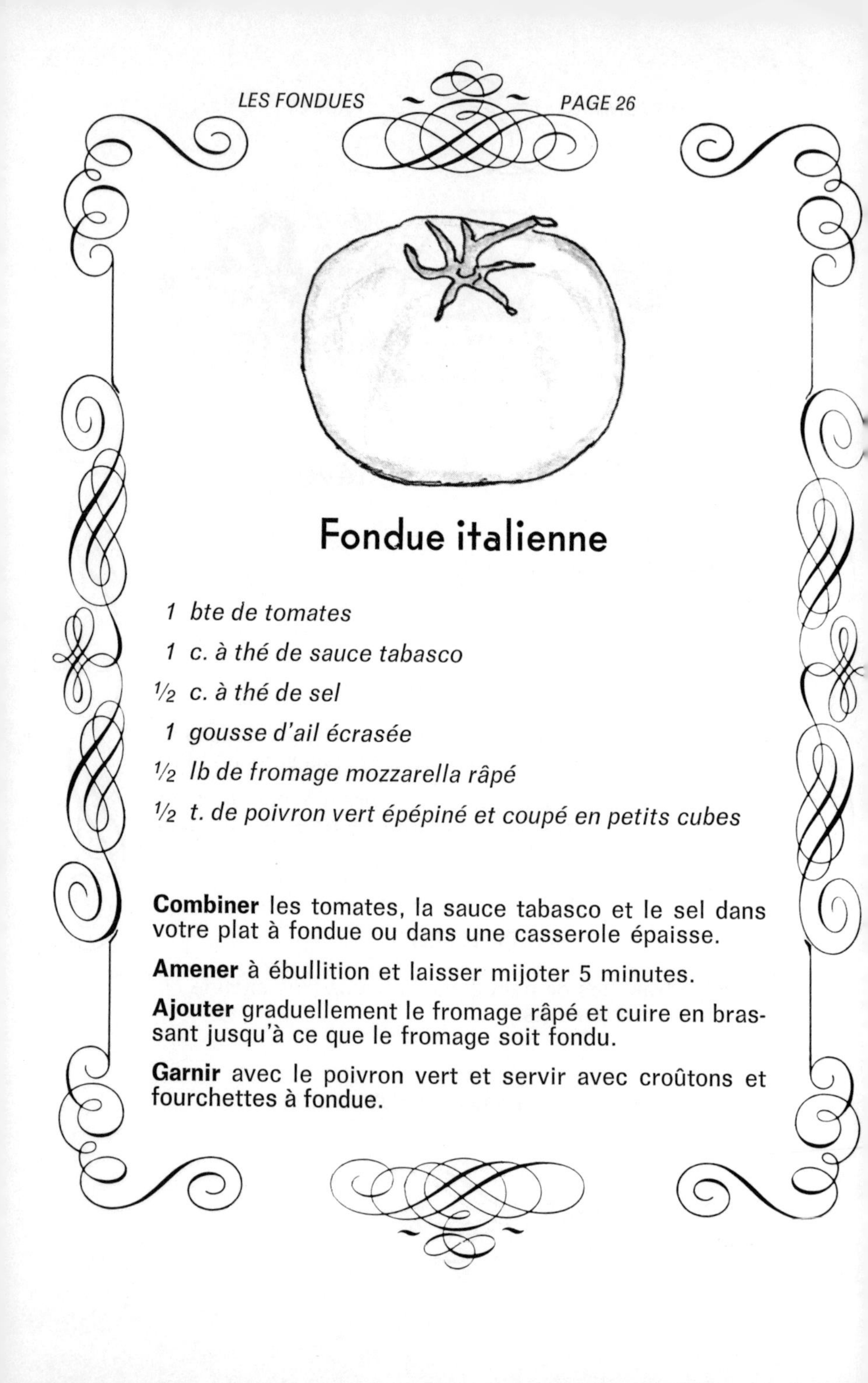

Fondue italienne

1 bte de tomates
1 c. à thé de sauce tabasco
½ c. à thé de sel
1 gousse d'ail écrasée
½ lb de fromage mozzarella râpé
½ t. de poivron vert épépiné et coupé en petits cubes

Combiner les tomates, la sauce tabasco et le sel dans votre plat à fondue ou dans une casserole épaisse.

Amener à ébullition et laisser mijoter 5 minutes.

Ajouter graduellement le fromage râpé et cuire en brassant jusqu'à ce que le fromage soit fondu.

Garnir avec le poivron vert et servir avec croûtons et fourchettes à fondue.

Fondue pour les jeunes

2 c. à table de beurre

4 c. à table de farine

4 t. de lait

1 lb de fromage suisse râpé

3 pincées de sel
Muscade

Fondre le beurre, ajouter la farine et bien mélanger sur feu doux.

Verser peu à peu le lait, ajouter le fromage râpé, le sel, puis la muscade sans arrêter de brasser.

Remuer jusqu'à ce que le tout soit bien lisse.

Piquer des croûtons avec une fourchette et les saucer dans la fondue.

Fondue à la bruxelloise

1 1/2 lb de fromage parmesan ou emmenthal coupé en morceaux de 2 po. de longueur sur 1/2 po. d'épaisseur

Huile pour friture

Tamiser ensemble:

1 1/2 t. de farine tout usage
1/2 c. à thé de poudre à pâte
1/2 c. à thé de sel
1/8 c. à thé de poivre

Incorporer 2 œufs battus et ajouter une tasse de bière.

Enfariner les morceaux de fromage.

Les passer dans le mélange et faire frire à 375°F jusqu'à ce qu'ils soient bien dorés des deux côtés.

Egoutter sur du papier absorbant et servir chaud.

Fondue piémontaise

1½ t. de fromage fontina
Lait pour couvrir
1 c. à soupe de beurre
4 jaunes d'œufs
Sel et poivre
1 petite bte de truffes en lamelles

Râper le fromage, le mettre dans une casserole et le couvrir de lait.

L'assaisonner avec le sel et le poivre; le couvrir et le laisser reposer trois heures.

Verser le mélange dans la partie supérieure d'un bain-marie et faire chauffer en brassant jusqu'à ce que le tout soit bien lisse.

Ajouter les jaunes d'œufs battus et le beurre et remuer en tournant.

Retirer du feu et ajouter les truffes.

Servir chaud dans votre plat à fondue avec des croûtons de pain.

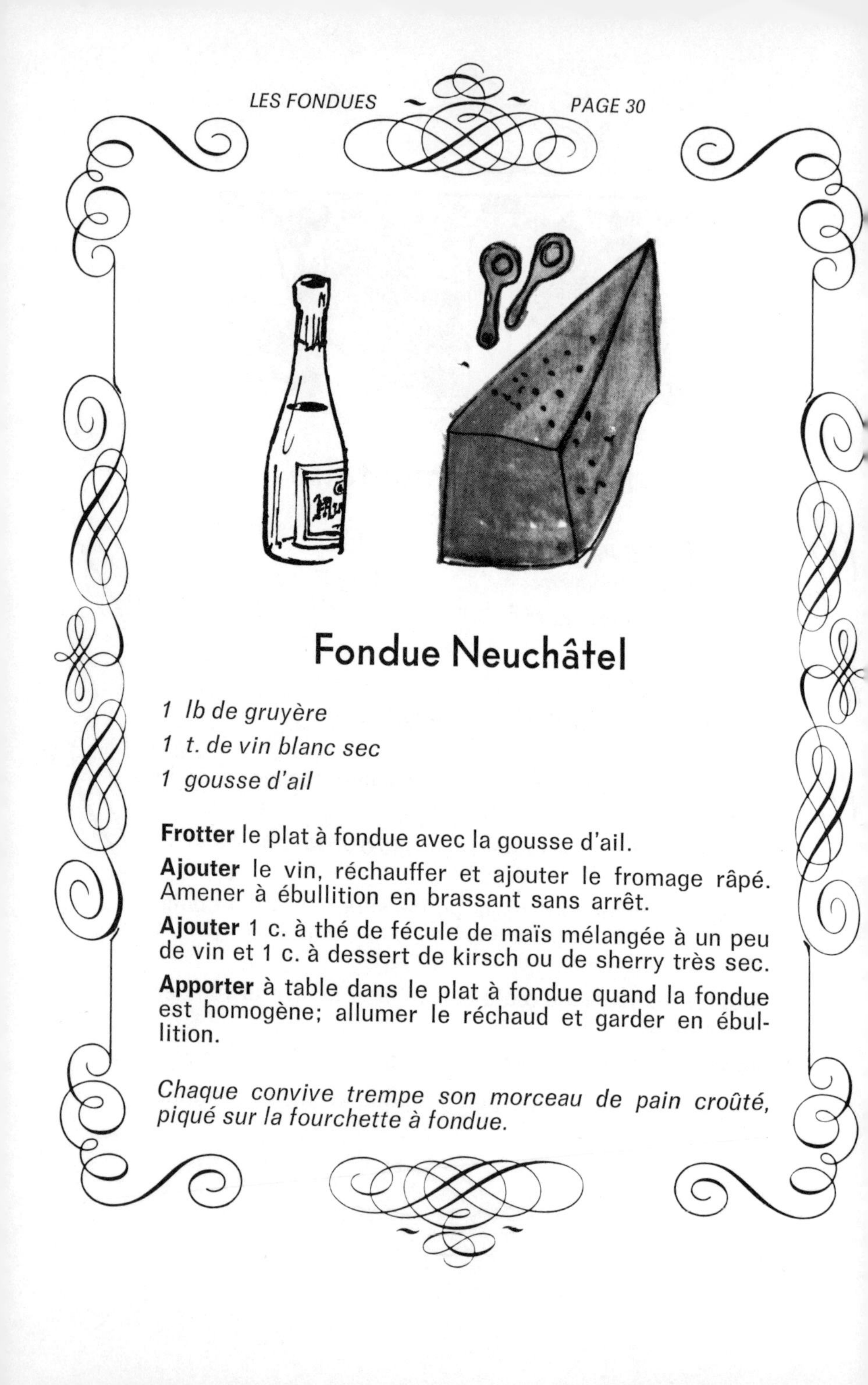

Fondue Neuchâtel

1 lb de gruyère

1 t. de vin blanc sec

1 gousse d'ail

Frotter le plat à fondue avec la gousse d'ail.

Ajouter le vin, réchauffer et ajouter le fromage râpé. Amener à ébullition en brassant sans arrêt.

Ajouter 1 c. à thé de fécule de maïs mélangée à un peu de vin et 1 c. à dessert de kirsch ou de sherry très sec.

Apporter à table dans le plat à fondue quand la fondue est homogène; allumer le réchaud et garder en ébullition.

Chaque convive trempe son morceau de pain croûté, piqué sur la fourchette à fondue.

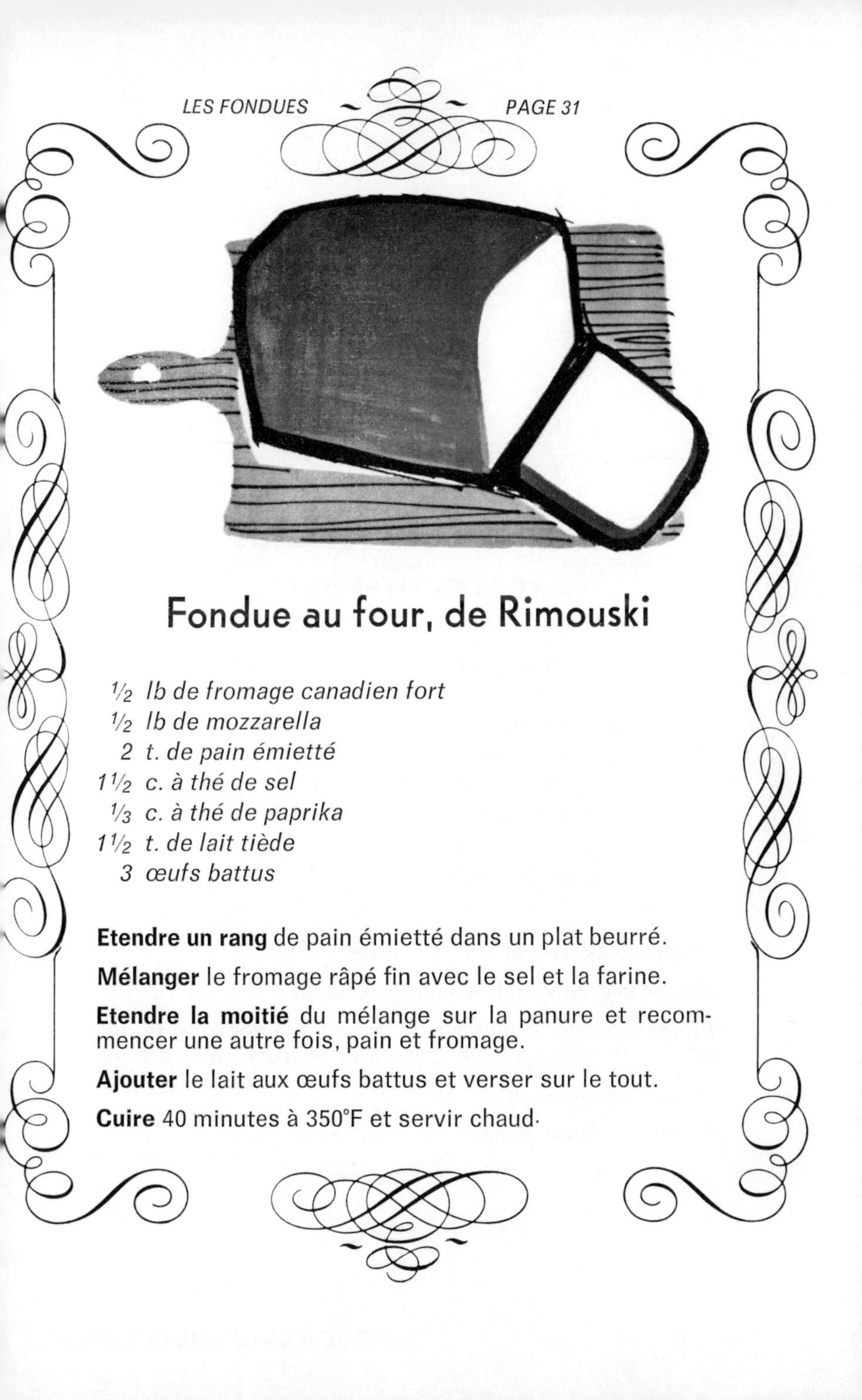

Fondue au four, de Rimouski

½ lb de fromage canadien fort
½ lb de mozzarella
2 t. de pain émietté
1½ c. à thé de sel
⅓ c. à thé de paprika
1½ t. de lait tiède
3 œufs battus

Etendre un rang de pain émietté dans un plat beurré.

Mélanger le fromage râpé fin avec le sel et la farine.

Etendre la moitié du mélange sur la panure et recommencer une autre fois, pain et fromage.

Ajouter le lait aux œufs battus et verser sur le tout.

Cuire 40 minutes à 350°F et servir chaud.

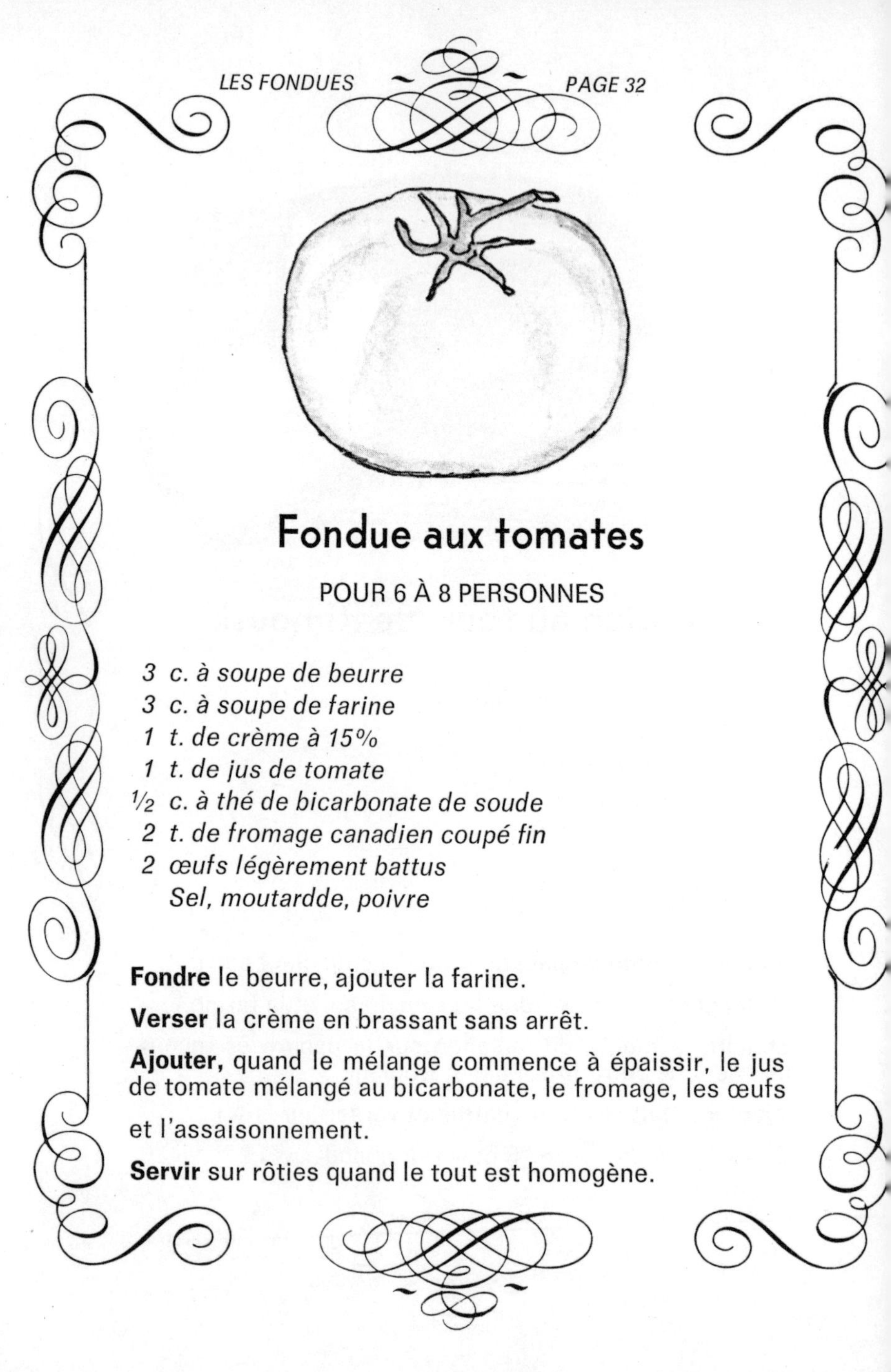

Fondue aux tomates

POUR 6 À 8 PERSONNES

3 c. à soupe de beurre
3 c. à soupe de farine
1 t. de crème à 15%
1 t. de jus de tomate
½ c. à thé de bicarbonate de soude
2 t. de fromage canadien coupé fin
2 œufs légèrement battus
Sel, moutardde, poivre

Fondre le beurre, ajouter la farine.

Verser la crème en brassant sans arrêt.

Ajouter, quand le mélange commence à épaissir, le jus de tomate mélangé au bicarbonate, le fromage, les œufs et l'assaisonnement.

Servir sur rôties quand le tout est homogène.

Fondue aux langoustines

12 langoustines (scampis) décortiquées, coupées en deux ou trois morceaux selon la grosseur

Huile de tournesol ou d'arachide

Placer devant chaque convive un petit bol de lait salé et poivré, puis un autre contenant de la farine.

Piquer chaque morceau de langoustine avec la fourchette, passer dans le lait puis la farine et le mettre à cuire dans l'huile bouillante.

On peut également utiliser de petits morceaux de poisson cru.

FONDUE AU CHOCOLAT

Fondue pour servir sur rôties

½ lb de fromage canadien en cubes
2 jaunes d'œufs
2 blancs d'œufs
1 c. à thé de moutarde sèche
1 c. à table de sauce Worcestershire
1 t. de bière
½ c. à thé de sel

Faire fondre 2 c. à table de beurre; ajouter le fromage et cuire sur feu très bas pour que le fromage fonde.

Mélanger pendant ce temps les jaunes d'œufs avec la moutarde, la sauce Worcestershire et le sel.

Battre les blancs en neige.

Ajouter les jaunes lorsque le fromage est fondu; bien mêler et ajouter la bière. Juste avant que le mélange ne frémisse, ajouter les blancs d'œufs en pliant.

Servir sur des rôties.

Fondue à la crème de crevettes

2 btes de crème de crevettes
1 t. de lait
1 lb de fromage suisse râpé (gruyère ou emmenthal)
Paprika

Réchauffer dans votre plat à fondue la crème de crevettes; ajouter le lait puis le fromage râpé.

Cuire à feu très bas jusqu'à ce que le fromage soit fondu et que le tout soit homogène.

Saupoudrer de paprika, de sel et de poivre, au goût.

Servir avec des croûtons de pain français.

Fondue aux crevettes

2 lb de crevettes fraîches et décortiquées
Huile de tournesol ou d'arachide

Placer les crevettes rincées à l'eau froide et bien égouttées dans un plat pour la table.

Remplir d'huile la moitié de votre plat à fondue et chauffer.

Servir avec jus de citron, sel et poivre ou une sauce, au goût, comme pour la fondue bourguignonne.

Chaque invité pique une crevette avec sa fourchette comme pour la fondue bourguignonne, et la fait frire dans l'huile.

Fondue au thon

1 bte de thon
½ lb de gruyère
½ lb d'emmenthal
1½ c. à table de fécule de maïs
1 pincée de muscade
3 c. à table de brandy
2 t. de vin blanc sec

Frotter le plat à fondue avec de l'ail.

Ajouter le vin et chauffer à feu bas.

Ajouter graduellement le fromage râpé en mêlant bien après chaque addition jusqu'à ce que le fromage soit fondu.

Mélanger la fécule de maïs avec le brandy et la muscade et ajouter au fromage.

Ajouter le thon déchiqueté et cuire une minute.

Placer le plat à fondue sur votre réchaud de table.

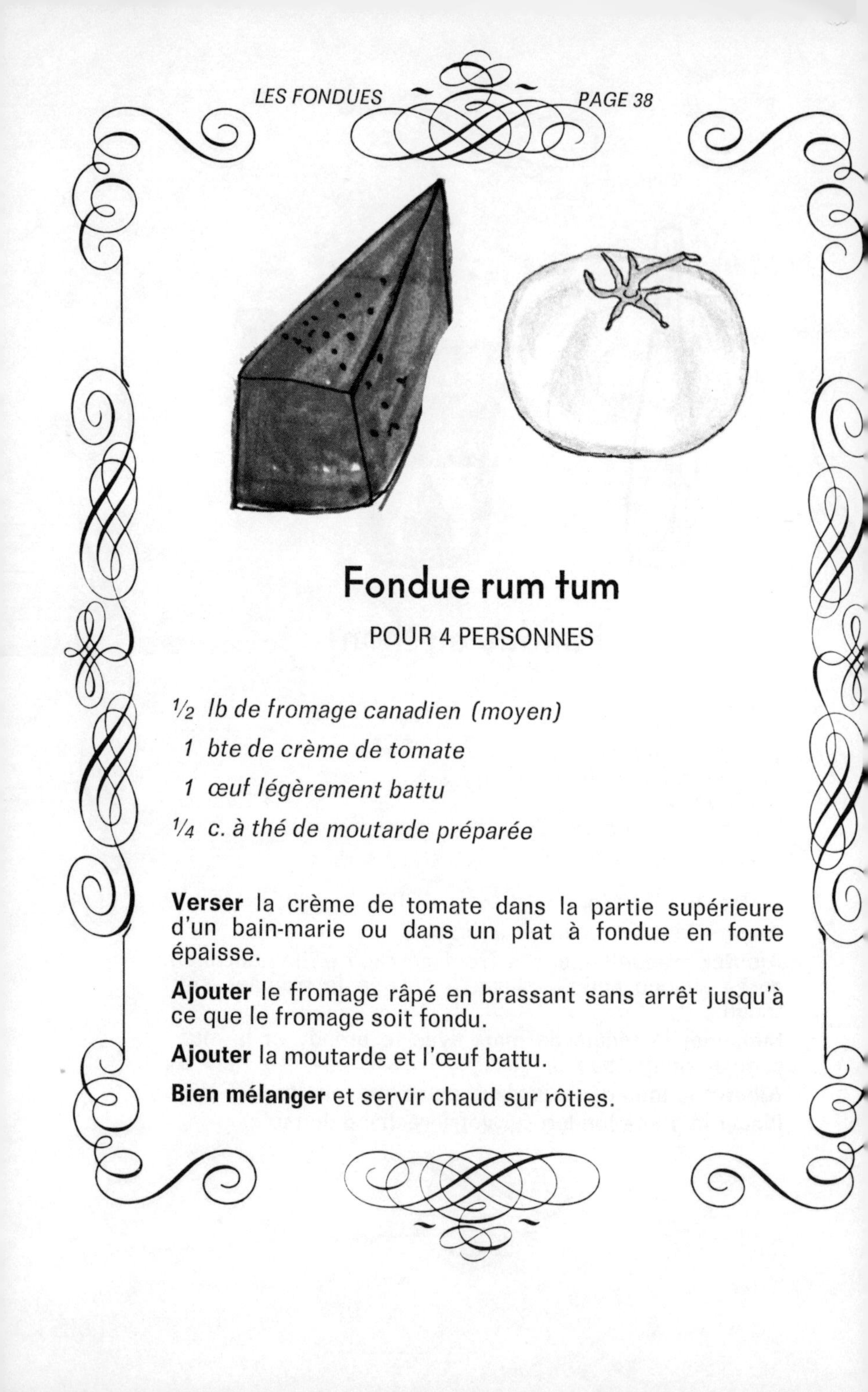

Fondue rum tum

POUR 4 PERSONNES

½ lb de fromage canadien (moyen)
1 bte de crème de tomate
1 œuf légèrement battu
¼ c. à thé de moutarde préparée

Verser la crème de tomate dans la partie supérieure d'un bain-marie ou dans un plat à fondue en fonte épaisse.

Ajouter le fromage râpé en brassant sans arrêt jusqu'à ce que le fromage soit fondu.

Ajouter la moutarde et l'œuf battu.

Bien mélanger et servir chaud sur rôties.

Fondue québécoise

1 lb de fromage canadien doux
3/4 t. de vin blanc sec
1 c. à thé de sauce Worcestershire

Frotter le plat à fondue avec une gousse d'ail.

Râper le fromage et ajouter le vin et la sauce Worcestershire.

Cuire dans le bain-marie ou le plat à fondue jusqu'à ce que le tout soit bien homogène.

Ajouter une pincée de muscade et mettre le plat sur le réchaud de table.

Servir avec croûtons de pain français.

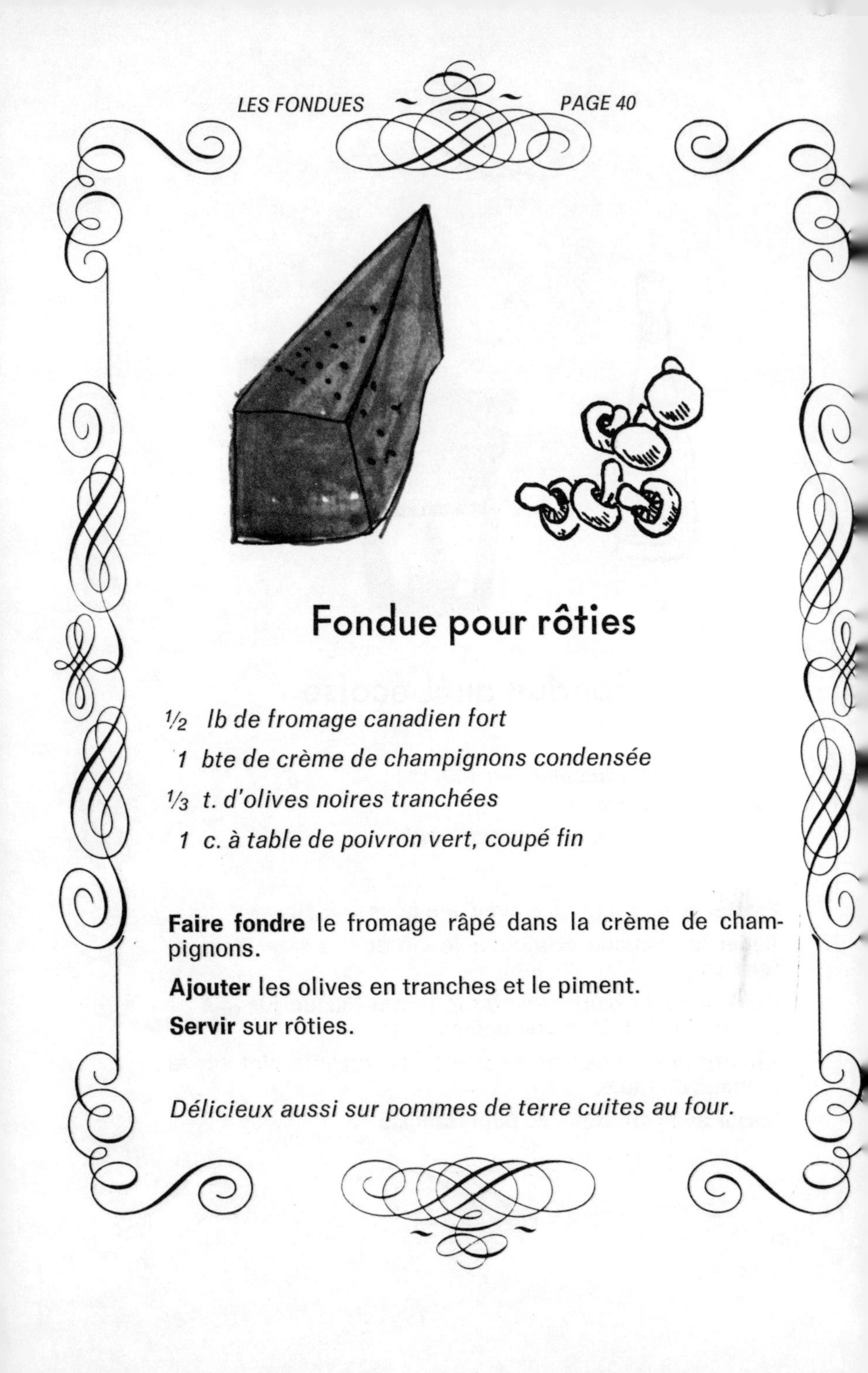

Fondue pour rôties

½ lb de fromage canadien fort
1 bte de crème de champignons condensée
⅓ t. d'olives noires tranchées
1 c. à table de poivron vert, coupé fin

Faire fondre le fromage râpé dans la crème de champignons.

Ajouter les olives en tranches et le piment.

Servir sur rôties.

Délicieux aussi sur pommes de terre cuites au four.

Fondue maison

3 t. de fromage râpé canadien moyen ou de fromage suisse
1 c. à table de farine
1 t. de vin blanc sec
½ c. à thé de sel
¼ c. à thé de poivre
¼ c. à thé de muscade
2 c. à table de kirsch

Frotter le plat à fondue avec une gousse d'ail; y verser le vin et chauffer jusqu'à ce que des bulles se forment.

Ajouter le fromage râpé, mêlé à la farine, le sel, le poivre et la muscade.

Cuire en brassant avec une cuillère de bois jusqu'à ce que le tout soit homogène.

Ajouter le kirsch et amener à ébullition.

Servir avec des croûtons de pain français.

La cuisson peut se commencer à la cuisine et se terminer sur le réchaud de table.

SAUCES

POUR FONDUE BOURGUIGNONNE

Sauce au chutney

2 c. à table de crème sure
½ t. de mayonnaise
¼ t. de chutney
2 c. à thé de moutarde préparée

Mêler les ingrédients et ajouter un peu de lait si le mélange est trop épais.

Sauce aux tomates

1 bte de sauce aux tomates
3 c. à table d'huile d'olive
1 gousse d'ail, écrasée ou hachée très fin
¼ t. de sauce chili
½ oignon blanc haché fin
1 c. à soupe de vinaigre
2 c. à table d'origan

Mélanger tous les ingrédients et ajouter du ketchup, si désiré.

Sauce diable

3 gousses d'ail hachées fin
1 oignon émincé
¼ t. d'huile
1 c. à table de fécule de maïs
2 c. à table de vinaigre
½ t. de ketchup
½ c. à thé de sel
2 c. à soupe de sauce Worcestershire
1 c. à thé de moutarde sèche

Faire revenir l'oignon et l'ail dans l'huile pour amollir; ajouter la fécule et cuire une minute en brassant sans arrêt.

Ajouter le vinaigre, le ketchup et la sauce Worcestershire.

Amener à ébullition et ajouter le reste.

Cette sauce est délicieuse avec le bœuf.

Sauce cari

½ t. de beurre

3 c. à table de farine

1½ c. à thé de cari

1 c. à table de jus de citron

1 bte de consommé

Faire fondre le beurre; y ajouter la farine en mélangeant sans arrêt et retirer du feu.

Combiner le cari et le jus de citron; bien mélanger et ajouter au premier mélange.

Ajouter graduellement le consommé et cuire en brassant sans arrêt 10 minutes.

Servir avec la fondue bourguignonne, poulet ou poisson.

Sauce vendôme

1/3 t. d'huile d'arachide
2/3 t. d'huile d'olive
4 jaunes d'œufs
2 c. à thé de vinaigre
Jus de 1/2 citron

Cuire au bain-marie à feu doux pour ér sir.
Ajouter 1 c. à thé de moutarde prér

SAUCES PRÉPARÉES

On peut se servir aussi de sauces toutes préparées telles que:

SAUCE SOYA
SAUCE CHILI
SAUCE BARBECUE
MOUTARDE PRÉPARÉE
ÉCHALOTES HACHÉES
CIBOULETTE HACHÉE
CÂPRES
CHUTNEY AUX FRUITS DU LIVRE
LES RECETTES DE MAMAN

LES DESSERTS

FONDUS

Fondue au chocolat

3 tablettes de chocolat de 3 oz chacune

½ t. de crème à 15% ou de lait évaporé

2 c. à table de rhum ou de kirsch

Faire fondre dans le plat à fondue, à feu doux, le chocolat en morceaux.

Ajouter la crème et bien mélanger.

Ajouter le rhum ou le kirsch.

Déposer sur le réchaud, piquer avec les fourchettes des guimauves, des morceaux de fruits ou de gâteau sec et saucer dans cette délicieuse fondue.

Fondue au chocolat et guimauves

- 1 *bte de lait condensé*
- ½ *sac de guimauves*
- 1 *sac de brisures de chocolat (6 oz)*

Faire chauffer tous ces ingrédients à feu doux jusqu'à ce que le tout soit complètement lisse et crémeux.

Deuxième Partie

Les Flambées

La Flambée

Un repas avec flambée permet à la maîtresse de maison de recevoir plus souvent et avec moins de fatigue les amis à qui elle peut faire déguster des mets étonnants.

Comme un prestidigitateur, vous ferez à votre tour jaillir, à partir de prosaïques ingrédients, des plats fascinants, qui feront le succès de toutes vos réunions intimes.

Il est plus facile de recevoir avec une flambée qu'avec un plat préparé d'avance et mijoté.

Le spectacle que présente à table la flambée achevée n'a d'égal que le plaisir de ceux qui vous entourent.

LES VIANDES

FLAMBÉES

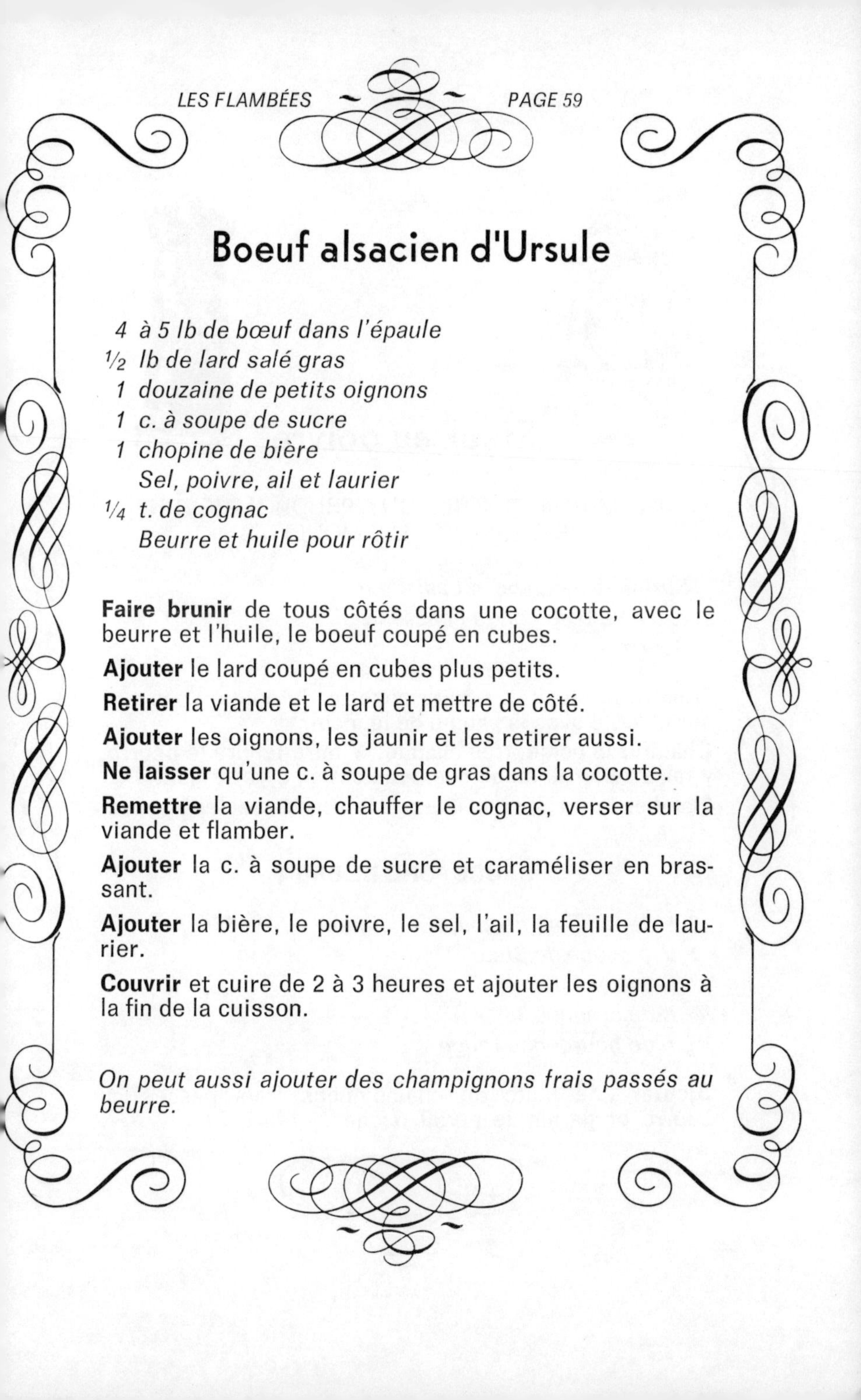

Boeuf alsacien d'Ursule

- *4 à 5 lb de bœuf dans l'épaule*
- *½ lb de lard salé gras*
- *1 douzaine de petits oignons*
- *1 c. à soupe de sucre*
- *1 chopine de bière*
- *Sel, poivre, ail et laurier*
- *¼ t. de cognac*
- *Beurre et huile pour rôtir*

Faire brunir de tous côtés dans une cocotte, avec le beurre et l'huile, le boeuf coupé en cubes.

Ajouter le lard coupé en cubes plus petits.

Retirer la viande et le lard et mettre de côté.

Ajouter les oignons, les jaunir et les retirer aussi.

Ne laisser qu'une c. à soupe de gras dans la cocotte.

Remettre la viande, chauffer le cognac, verser sur la viande et flamber.

Ajouter la c. à soupe de sucre et caraméliser en brassant.

Ajouter la bière, le poivre, le sel, l'ail, la feuille de laurier.

Couvrir et cuire de 2 à 3 heures et ajouter les oignons à la fin de la cuisson.

On peut aussi ajouter des champignons frais passés au beurre.

Steak au poivre

DU MAÎTRE D'HÔTEL GUY PRUDHOMME, DU RESTAURANT « LES MOUETTES »

Surlonge de un po. d'épaisseur
2 c. à soupe de poivre concassé
Beurre

Prendre le steak et y faire pénétrer le poivre concassé sur un côté avec la paume de la main.
Chauffer la poêle, très chaude. Y faire fondre le beurre, y faire saisir le steak des deux côtés, à votre goût.
Flamber le steak au cognac et le servir avec une sauce.

SAUCE FOND DE BRUN

2 t. de bouillon de soupe à l'oignon
1 c. à soupe de Bisto
Sel et poivre
½ t. de crème à 35%
¼ t. de bourgogne rouge

Ajouter une boîte de champignons frais passés au beurre et garnir de persil haché.

Steak à l'écossaise

1 steak de un po. d'épaisseur (3 lb)
1/5 lb de beurre
Sel et poivre concassé
1/2 t. de whisky

Frotter le steak de sel et poivre mélangés une heure avant de servir.
Laisser reposer au frais.
Faire fondre le beurre dans une poêle épaisse.
Passer le steak des deux côtés à feu vif, lorsque le beurre est bien chaud.
Baisser le feu et laisser cuire 3 minutes sur chaque face.
Enlever le steak et le tenir au chaud pendant que vous déglacez la poêle avec le whisky.
Verser sur le steak lorsqu'il est bien chaud et flamber.

Steak Diane de "La Saulaie"

POUR 2 PERSONNES

2 filets de 8 oz chacun
2 c. à dessert d'échalotes sèches hachées fin
2 pincées de thym
2 c. à soupe de madère
Cognac

Faire revenir dans le beurre les échalotes.

Ajouter le thym et déglacer avec le madère.

Ajouter un fond de brun.

Griller les filets; flamber au cognac et napper avec la sauce.

Steak au poivre

4 steaks de un po. d'épaisseur
1 c. à soupe de poivre rond concassé
4 c. à soupe d'huile
Faire adhérer le poivre à la viande et badigeonner d'huile.
Cuire dans une poêle épaisse.
Arroser de cognac ou de brandy au moment de servir et flamber.

Ne pas trop faire cuire. Un steak « moyen » (à point) saignant est à recommander.

Déposer dans votre plat de service à la chaleur.

Verser le cognac dans la poêle sur feu doux en grattant le fond.

Flamber et ajouter la moitié de la crème.

Verser sur les steaks.

Steak au poivre à la crème

6 portions de steak ou de filet de bœuf
2 c. à table de poivre en grains écrasés avec un rouleau à pâtisserie
2 petits verres ou 4 c. à soupe de cognac
6 c. à soupe de crème à 35%
3 c. à soupe de beurre

Saler les steaks, les enduire de poivre concassé, en le faisant adhérer avec la paume de la main.
Laisser macérer 30 minutes avec le poivre.
Chauffer la moitié du beurre dans une poêle épaisse.
Saisir les steaks dans le beurre chaud et cuire des deux côtés.
Verser le cognac sur les steaks et flamber.
Retirer les steaks de la poêle, retirer la poêle du feu et bien mêler.
Servir sur les steaks.

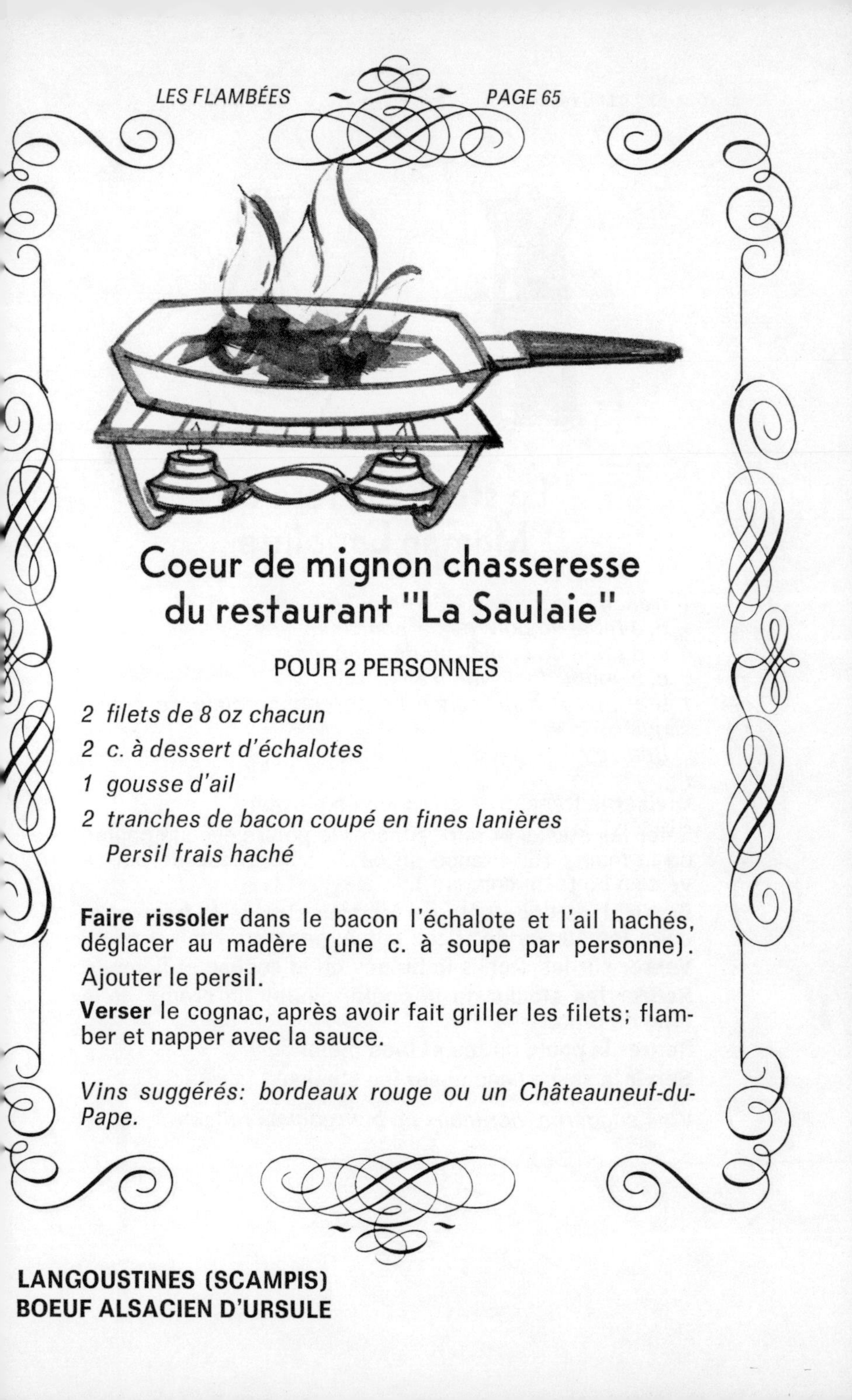

Coeur de mignon chasseresse du restaurant "La Saulaie"

POUR 2 PERSONNES

2 filets de 8 oz chacun
2 c. à dessert d'échalotes
1 gousse d'ail
2 tranches de bacon coupé en fines lanières
Persil frais haché

Faire rissoler dans le bacon l'échalote et l'ail hachés, déglacer au madère (une c. à soupe par personne). Ajouter le persil.

Verser le cognac, après avoir fait griller les filets; flamber et napper avec la sauce.

Vins suggérés: bordeaux rouge ou un Châteauneuf-du-Pape.

LANGOUSTINES (SCAMPIS)
BOEUF ALSACIEN D'URSULE

Le steak préféré de Maman Lapointe

1 tranche de surlonge de un po. d'épaisseur
1 c. à table de poivre noir concassé
8 c. à table de brandy ou de cognac
6 c. à soupe de crème à 35%
1 bte de 10 oz de sauce brune commerciale de bonne qualité
Beurre

Diviser la tranche de surlonge en portions.

Saler les steaks et faire adhérer le poivre avec la paume de la main. (En France on se sert beaucoup de poivre vert en boîte ou congelé.)

Brunir dans une poêle de fer très chaude le beurre, et cuire les steaks des deux côtés, pas tout à fait à point.

Verser sur les steaks le brandy ou le cognac et flamber.

Retirer les steaks de la poêle, ajouter la crème et le fond de brun.

Retirer la poêle du feu et bien mêler.

Servir la sauce chaude sur les steaks.

Vins suggérés: bordeaux ou bourgognes rouges

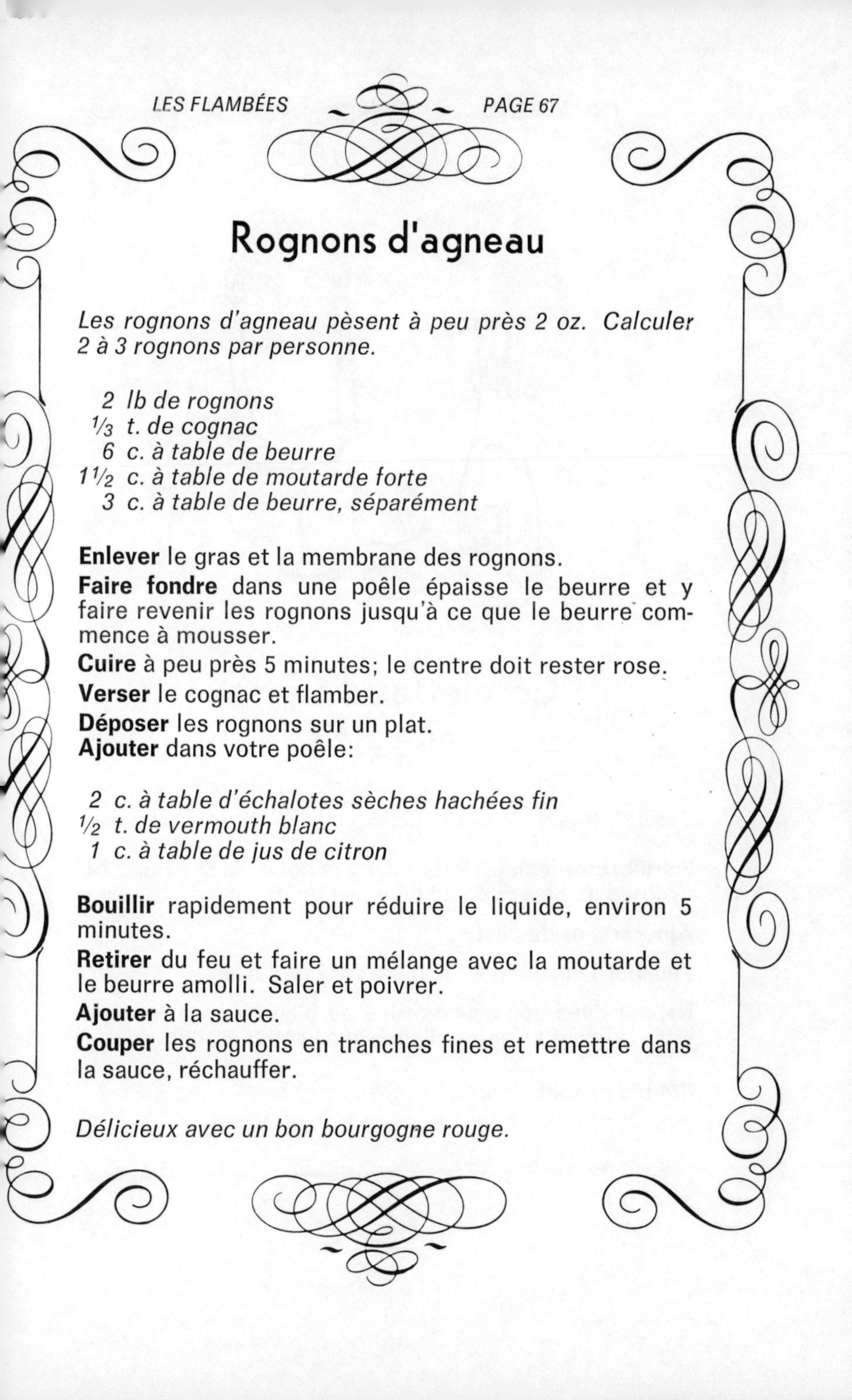

Rognons d'agneau

Les rognons d'agneau pèsent à peu près 2 oz. Calculer 2 à 3 rognons par personne.

2 lb de rognons
1/3 t. de cognac
6 c. à table de beurre
1 1/2 c. à table de moutarde forte
3 c. à table de beurre, séparément

Enlever le gras et la membrane des rognons.

Faire fondre dans une poêle épaisse le beurre et y faire revenir les rognons jusqu'à ce que le beurre commence à mousser.

Cuire à peu près 5 minutes; le centre doit rester rose.

Verser le cognac et flamber.

Déposer les rognons sur un plat.

Ajouter dans votre poêle:

2 c. à table d'échalotes sèches hachées fin
1/2 t. de vermouth blanc
1 c. à table de jus de citron

Bouillir rapidement pour réduire le liquide, environ 5 minutes.

Retirer du feu et faire un mélange avec la moutarde et le beurre amolli. Saler et poivrer.

Ajouter à la sauce.

Couper les rognons en tranches fines et remettre dans la sauce, réchauffer.

Délicieux avec un bon bourgogne rouge.

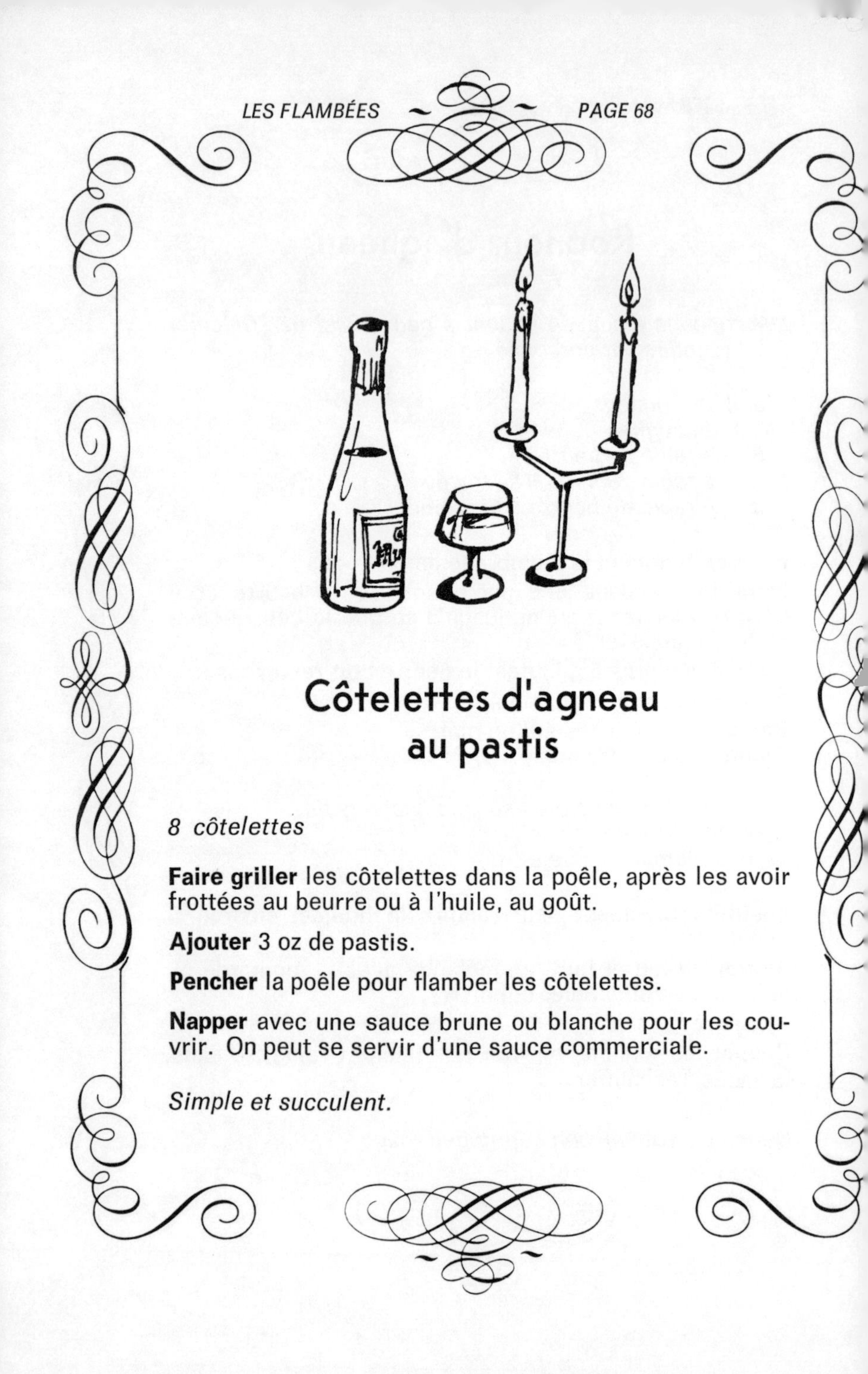

Côtelettes d'agneau au pastis

8 côtelettes

Faire griller les côtelettes dans la poêle, après les avoir frottées au beurre ou à l'huile, au goût.

Ajouter 3 oz de pastis.

Pencher la poêle pour flamber les côtelettes.

Napper avec une sauce brune ou blanche pour les couvrir. On peut se servir d'une sauce commerciale.

Simple et succulent.

Porc flambé Tonga-Tabu du "Kon-Tiki"

DE L'HÔTEL SHERATON-MONT-ROYAL

Faire sauter dans le beurre 2 côtelettes de porc fumé pour chaque personne.

Cuire à peu près 10 minutes de chaque côté sans aucun assaisonnement.

Retirer de la poêle.

Mélanger au beurre ayant servi à la cuisson des côtelettes ½ oz de gin et 1 oz de rhum par 2 côtelettes.

Chauffer le mélange, le verser sur les côtelettes de porc et flamber.

Servir les côtelettes avec des rondelles d'ananas grillées et du riz sauvage.

Incidemment, ce porc Tonga-Tabu sera très populaire auprès de vos invités.

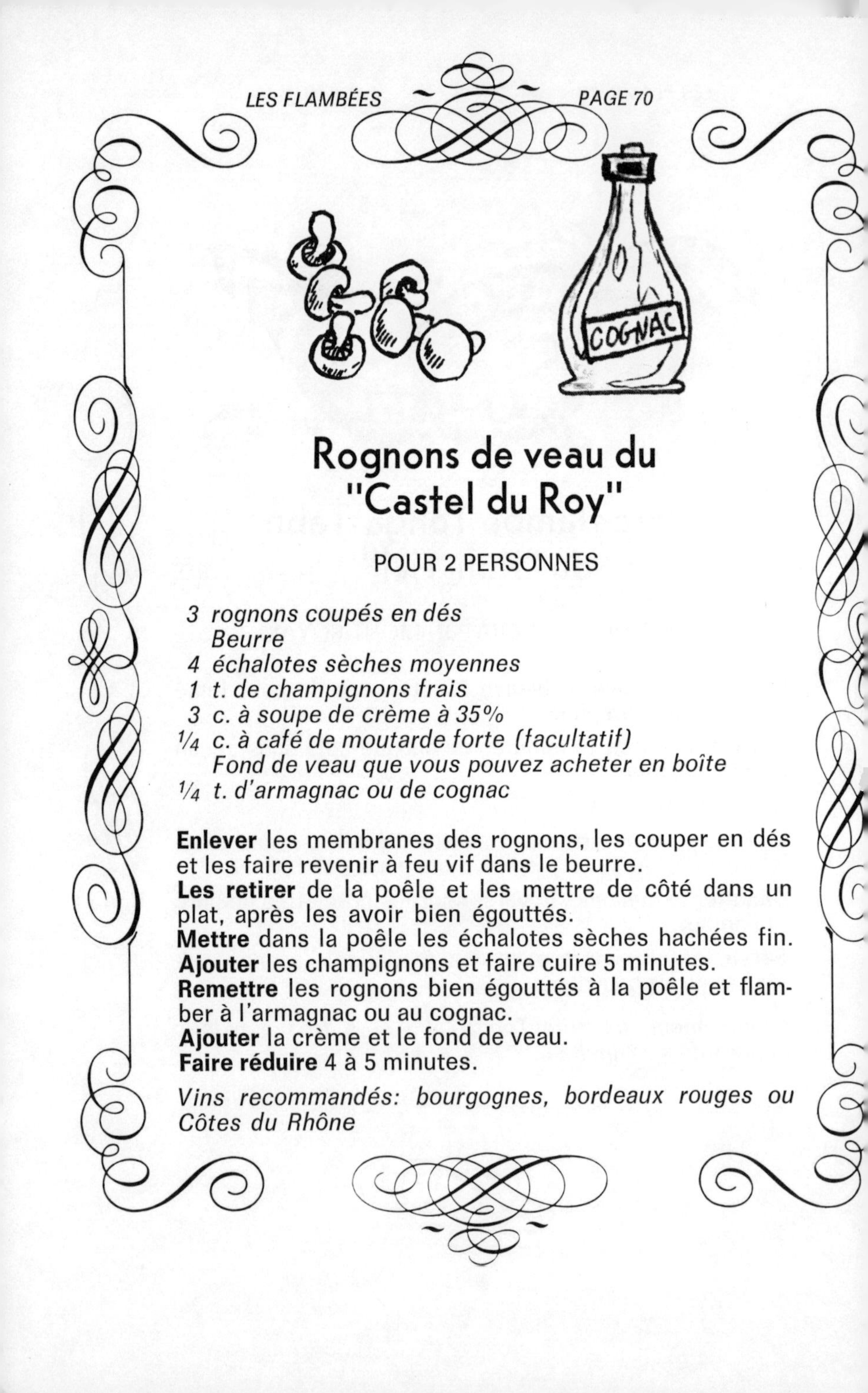

Rognons de veau du "Castel du Roy"

POUR 2 PERSONNES

3 rognons coupés en dés
Beurre
4 échalotes sèches moyennes
1 t. de champignons frais
3 c. à soupe de crème à 35%
1/4 c. à café de moutarde forte (facultatif)
Fond de veau que vous pouvez acheter en boîte
1/4 t. d'armagnac ou de cognac

Enlever les membranes des rognons, les couper en dés et les faire revenir à feu vif dans le beurre.
Les retirer de la poêle et les mettre de côté dans un plat, après les avoir bien égouttés.
Mettre dans la poêle les échalotes sèches hachées fin.
Ajouter les champignons et faire cuire 5 minutes.
Remettre les rognons bien égouttés à la poêle et flamber à l'armagnac ou au cognac.
Ajouter la crème et le fond de veau.
Faire réduire 4 à 5 minutes.

Vins recommandés: bourgognes, bordeaux rouges ou Côtes du Rhône

Escalopes de veau

4 PORTIONS

1½ lb d'escalopes de veau enfarinées
Huile et beurre
2 c. à soupe d'échalotes sèches hachées
1 t. de crème à 35% (ou plus épaisse)
Persil haché
4 c. à soupe d'armagnac

Faire fondre dans une cocotte le beurre et l'huile et y faire dorer les escalopes en leur donnant une bonne couleur des deux côtés.

Enlever les escalopes quand elles sont bien cuites, les mettre au chaud; jeter dans la casserole les échalotes sèches hachées et les faire blondir.

Remettre les escalopes dans la casserole et flamber à l'armagnac.

Enlever de nouveau et verser la crème en brassant pour épaissir.

Servir la sauce sur l'escalope et décorer de persil haché.

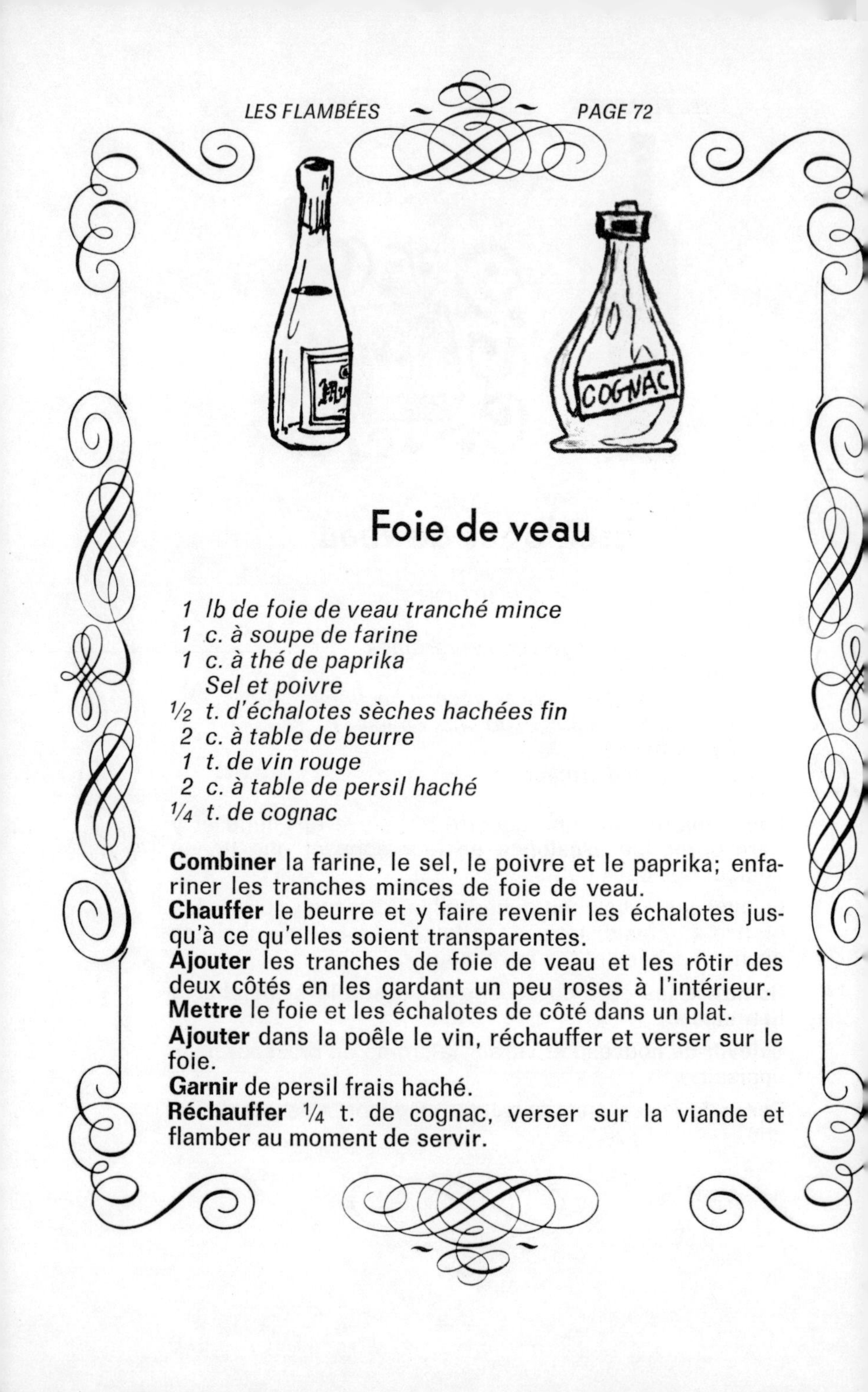

Foie de veau

1 lb de foie de veau tranché mince
1 c. à soupe de farine
1 c. à thé de paprika
Sel et poivre
½ t. d'échalotes sèches hachées fin
2 c. à table de beurre
1 t. de vin rouge
2 c. à table de persil haché
¼ t. de cognac

Combiner la farine, le sel, le poivre et le paprika; enfariner les tranches minces de foie de veau.
Chauffer le beurre et y faire revenir les échalotes jusqu'à ce qu'elles soient transparentes.
Ajouter les tranches de foie de veau et les rôtir des deux côtés en les gardant un peu roses à l'intérieur.
Mettre le foie et les échalotes de côté dans un plat.
Ajouter dans la poêle le vin, réchauffer et verser sur le foie.
Garnir de persil frais haché.
Réchauffer ¼ t. de cognac, verser sur la viande et flamber au moment de servir.

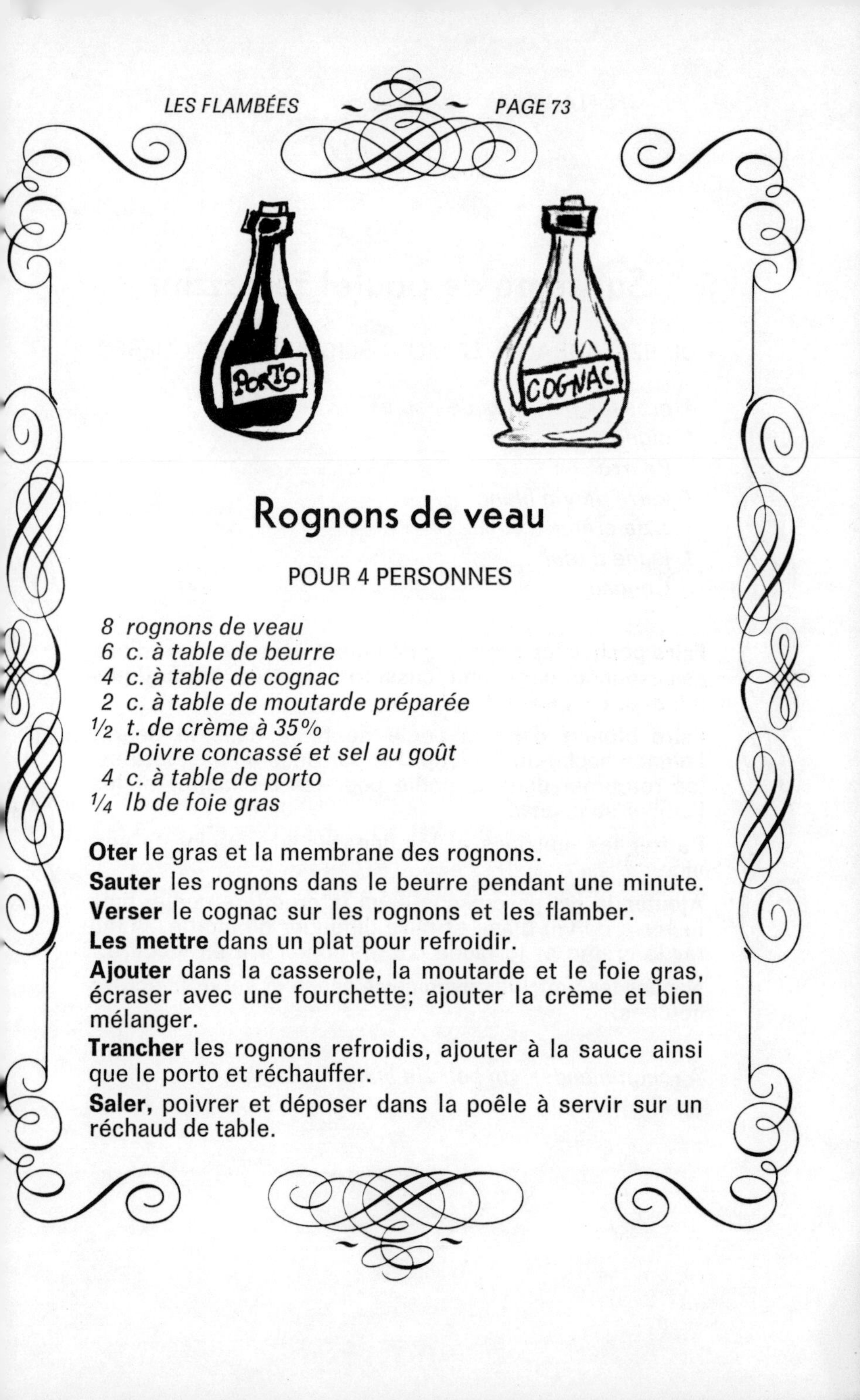

Rognons de veau

POUR 4 PERSONNES

8 rognons de veau
6 c. à table de beurre
4 c. à table de cognac
2 c. à table de moutarde préparée
½ t. de crème à 35%
Poivre concassé et sel au goût
4 c. à table de porto
¼ lb de foie gras

Oter le gras et la membrane des rognons.
Sauter les rognons dans le beurre pendant une minute.
Verser le cognac sur les rognons et les flamber.
Les mettre dans un plat pour refroidir.
Ajouter dans la casserole, la moutarde et le foie gras, écraser avec une fourchette; ajouter la crème et bien mélanger.
Trancher les rognons refroidis, ajouter à la sauce ainsi que le porto et réchauffer.
Saler, poivrer et déposer dans la poêle à servir sur un réchaud de table.

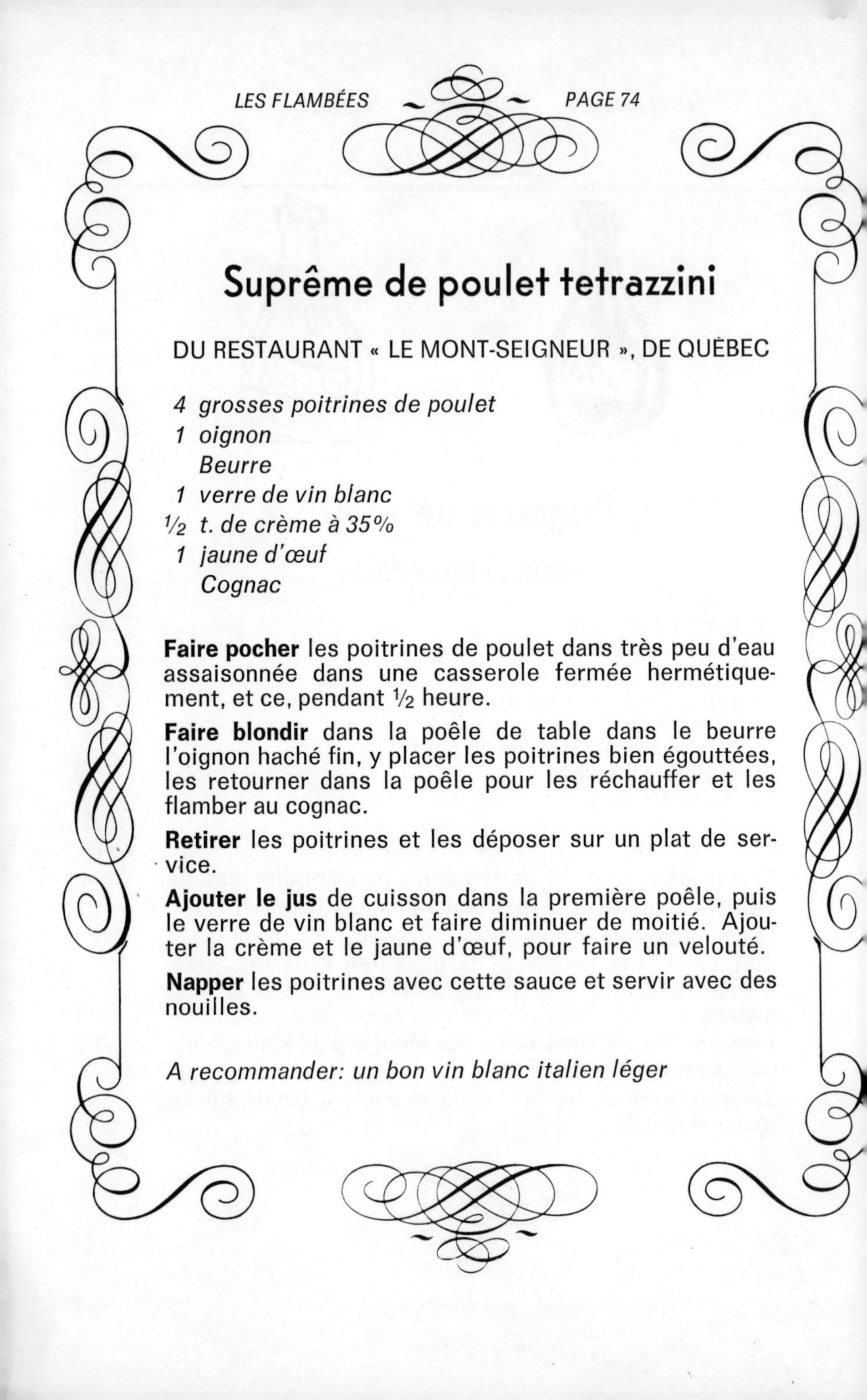

Suprême de poulet tetrazzini

DU RESTAURANT « LE MONT-SEIGNEUR », DE QUÉBEC

4 grosses poitrines de poulet
1 oignon
Beurre
1 verre de vin blanc
½ t. de crème à 35%
1 jaune d'œuf
Cognac

Faire pocher les poitrines de poulet dans très peu d'eau assaisonnée dans une casserole fermée hermétiquement, et ce, pendant ½ heure.

Faire blondir dans la poêle de table dans le beurre l'oignon haché fin, y placer les poitrines bien égouttées, les retourner dans la poêle pour les réchauffer et les flamber au cognac.

Retirer les poitrines et les déposer sur un plat de service.

Ajouter le jus de cuisson dans la première poêle, puis le verre de vin blanc et faire diminuer de moitié. Ajouter la crème et le jaune d'œuf, pour faire un velouté.

Napper les poitrines avec cette sauce et servir avec des nouilles.

A recommander: un bon vin blanc italien léger

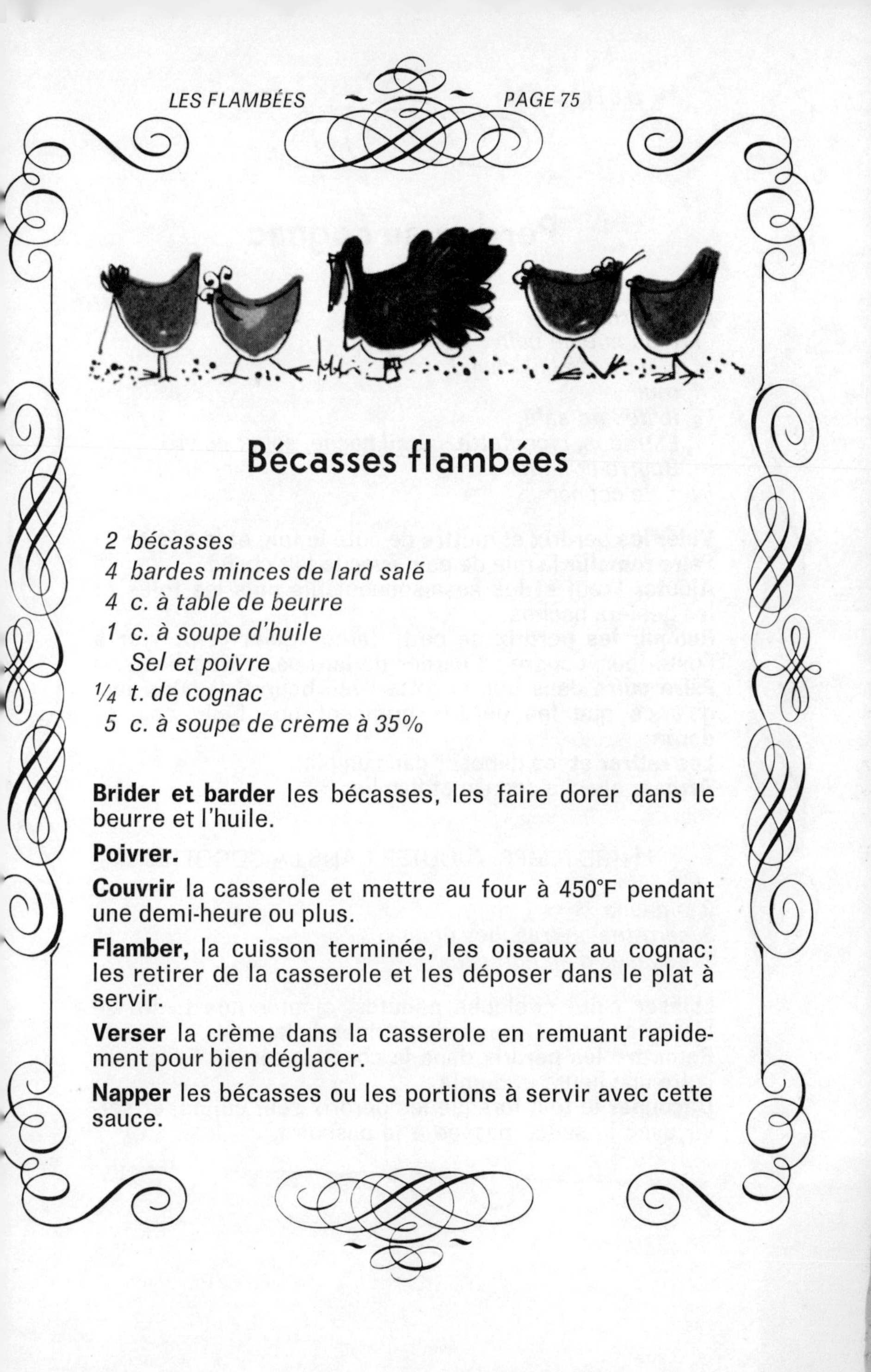

Bécasses flambées

2 bécasses
4 bardes minces de lard salé
4 c. à table de beurre
1 c. à soupe d'huile
Sel et poivre
¼ t. de cognac
5 c. à soupe de crème à 35%

Brider et barder les bécasses, les faire dorer dans le beurre et l'huile.

Poivrer.

Couvrir la casserole et mettre au four à 450°F pendant une demi-heure ou plus.

Flamber, la cuisson terminée, les oiseaux au cognac; les retirer de la casserole et les déposer dans le plat à servir.

Verser la crème dans la casserole en remuant rapidement pour bien déglacer.

Napper les bécasses ou les portions à servir avec cette sauce.

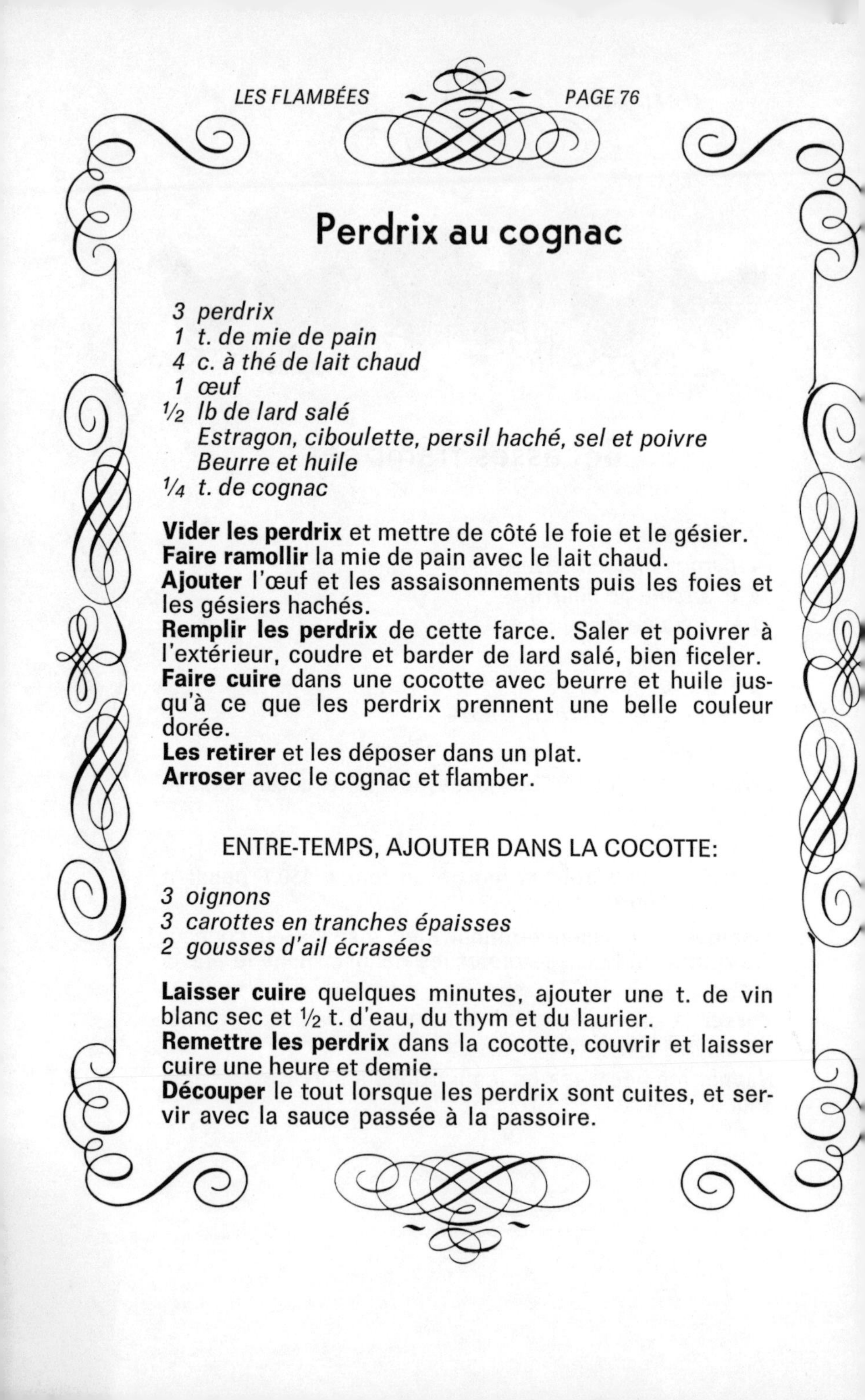

Perdrix au cognac

3 perdrix
1 t. de mie de pain
4 c. à thé de lait chaud
1 œuf
½ lb de lard salé
Estragon, ciboulette, persil haché, sel et poivre
Beurre et huile
¼ t. de cognac

Vider les perdrix et mettre de côté le foie et le gésier.
Faire ramollir la mie de pain avec le lait chaud.
Ajouter l'œuf et les assaisonnements puis les foies et les gésiers hachés.
Remplir les perdrix de cette farce. Saler et poivrer à l'extérieur, coudre et barder de lard salé, bien ficeler.
Faire cuire dans une cocotte avec beurre et huile jusqu'à ce que les perdrix prennent une belle couleur dorée.
Les retirer et les déposer dans un plat.
Arroser avec le cognac et flamber.

ENTRE-TEMPS, AJOUTER DANS LA COCOTTE:

3 oignons
3 carottes en tranches épaisses
2 gousses d'ail écrasées

Laisser cuire quelques minutes, ajouter une t. de vin blanc sec et ½ t. d'eau, du thym et du laurier.
Remettre les perdrix dans la cocotte, couvrir et laisser cuire une heure et demie.
Découper le tout lorsque les perdrix sont cuites, et servir avec la sauce passée à la passoire.

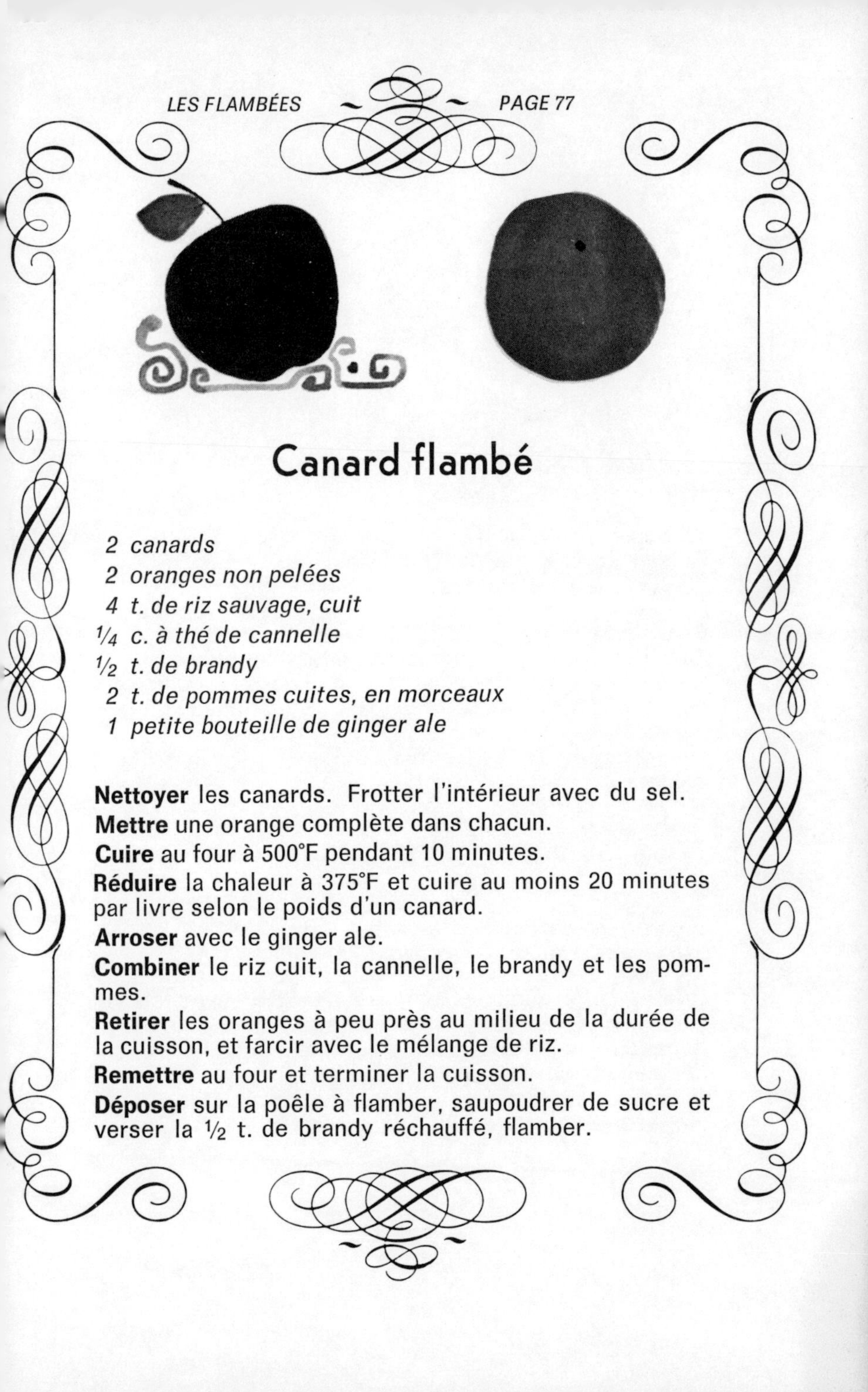

Canard flambé

- *2 canards*
- *2 oranges non pelées*
- *4 t. de riz sauvage, cuit*
- *¼ c. à thé de cannelle*
- *½ t. de brandy*
- *2 t. de pommes cuites, en morceaux*
- *1 petite bouteille de ginger ale*

Nettoyer les canards. Frotter l'intérieur avec du sel.

Mettre une orange complète dans chacun.

Cuire au four à 500°F pendant 10 minutes.

Réduire la chaleur à 375°F et cuire au moins 20 minutes par livre selon le poids d'un canard.

Arroser avec le ginger ale.

Combiner le riz cuit, la cannelle, le brandy et les pommes.

Retirer les oranges à peu près au milieu de la durée de la cuisson, et farcir avec le mélange de riz.

Remettre au four et terminer la cuisson.

Déposer sur la poêle à flamber, saupoudrer de sucre et verser la ½ t. de brandy réchauffé, flamber.

LES POISSONS

FLAMBÉS

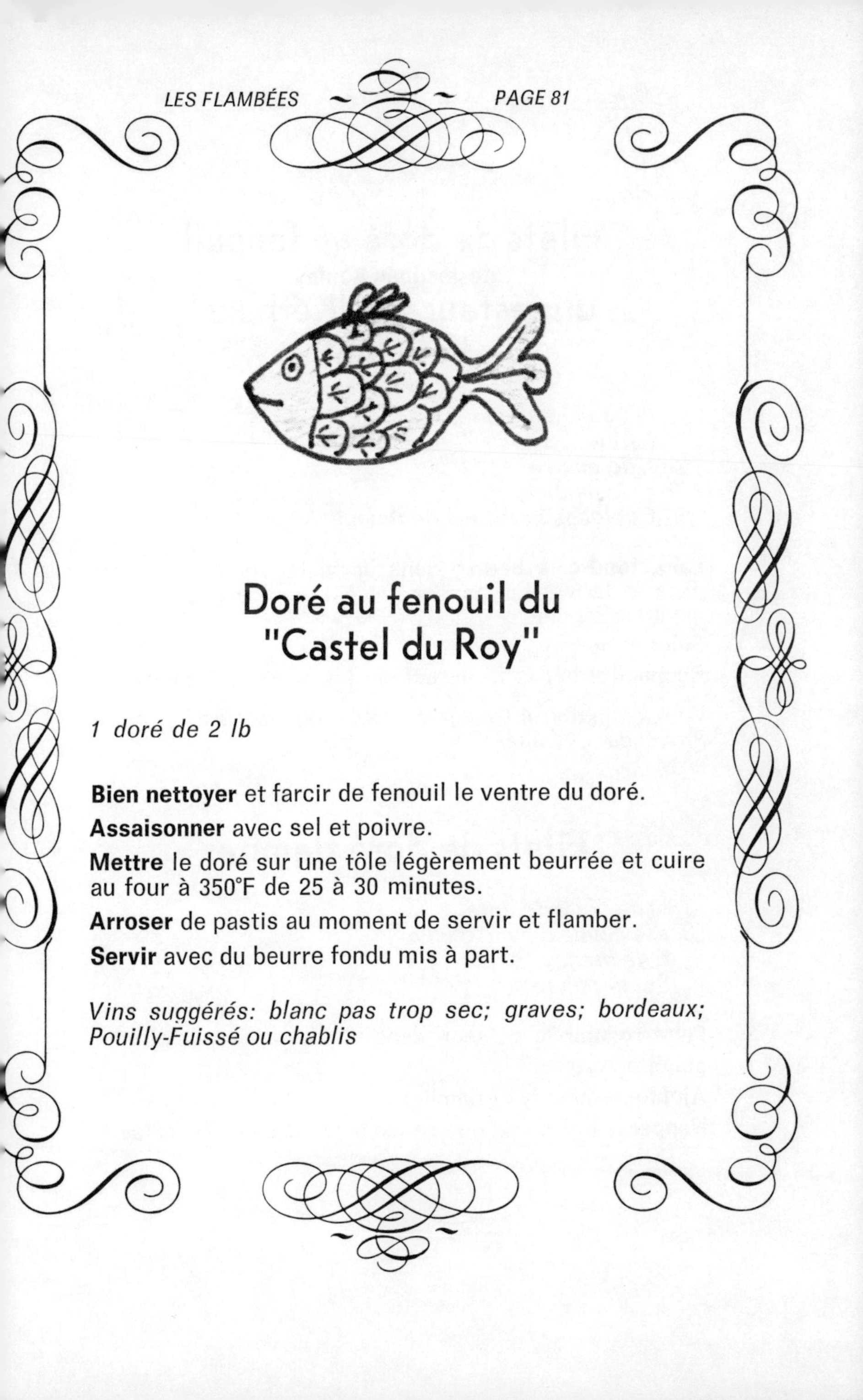

Doré au fenouil du "Castel du Roy"

1 doré de 2 lb

Bien nettoyer et farcir de fenouil le ventre du doré.

Assaisonner avec sel et poivre.

Mettre le doré sur une tôle légèrement beurrée et cuire au four à 350°F de 25 à 30 minutes.

Arroser de pastis au moment de servir et flamber.

Servir avec du beurre fondu mis à part.

Vins suggérés: blanc pas trop sec; graves; bordeaux; Pouilly-Fuissé ou chablis

Filets de doré au fenouil

de Jacques Boulay

du restaurant "Kerhulu" de Québec

1 1/2 lb de filets de doré
Farine
1/4 t. de beurre
1/4 t. de pastis
Quelques branches de fenouil

Faire fondre le beurre dans la poêle, rouler les filets dans la farine, les passer dans le beurre auquel on a ajouté le fenouil.

Saler et poivrer.

Réchauffer le pastis, verser sur les filets et flamber.

Vins suggérés: muscadet; chablis ou vin blanc; rosé de Provence; Sylvaner

Filets de doré flambés

1 lb de filets de doré
3 c. à soupe d'huile d'olive
1/4 t. de brandy
Sel et poivre

Faire revenir le poisson dans l'huile d'olive et ajouter sel et poivre.

Ajouter le brandy et flamber.

Napper le poisson d'une sauce blanche ou hollandaise.

Filets de sole du restaurant "Les Mouettes"

1 ½ lb de filets de sole
Farine
¼ t. de beurre
¼ t. de pastis

Rouler les filets dans la farine.

Faire fondre le beurre dans la poêle, et passer les filets enfarinés dans le beurre chaud.

Cuire les filets, 2 minutes de chaque côté et mettre au four 5 minutes à 400°F.

Mettre dans votre plat à flamber; réchauffer le pastis dans la louche, verser sur les filets de sole et flamber.

Garnir de persil frais haché et de quartiers de citron pour servir.

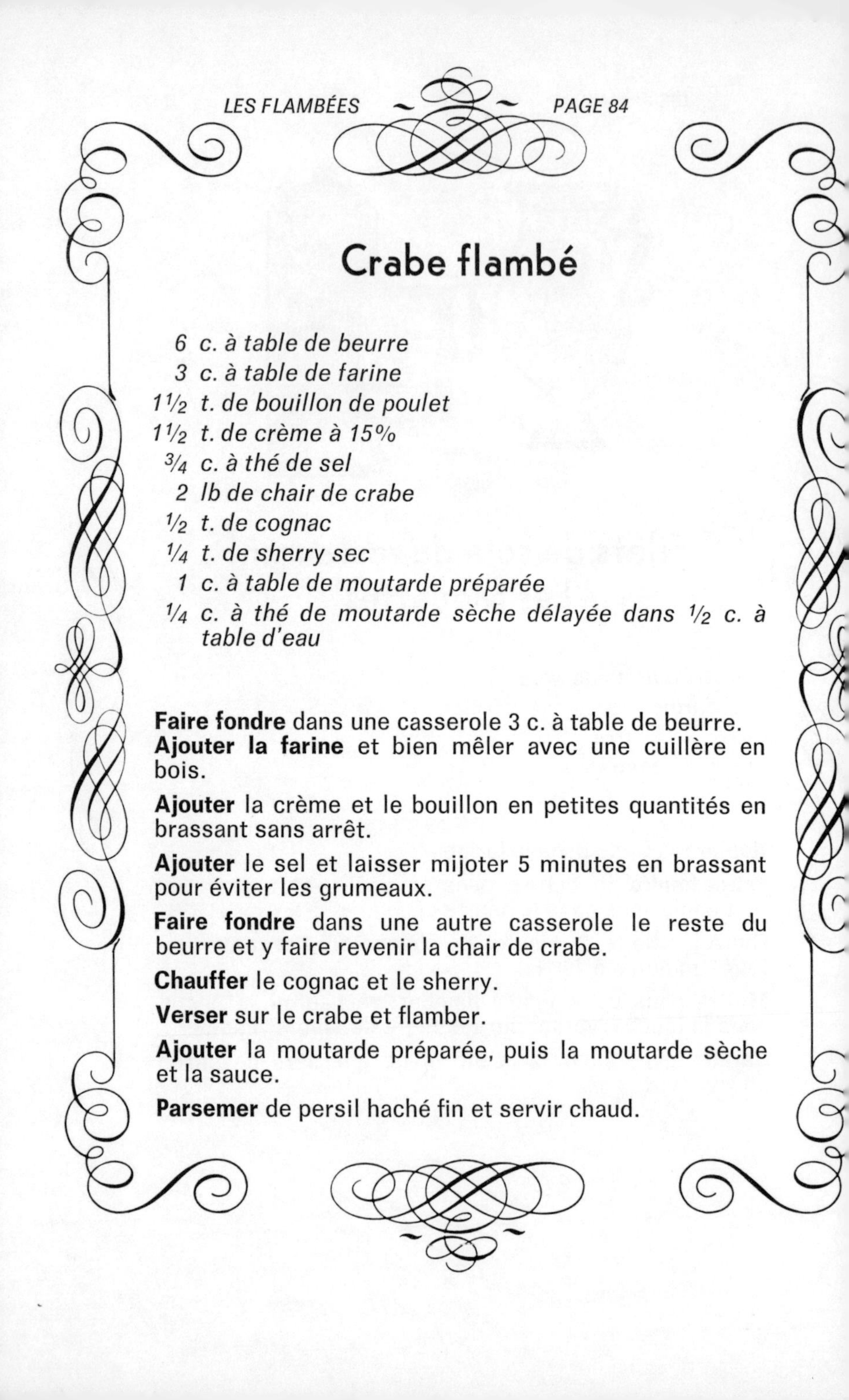

Crabe flambé

- 6 *c. à table de beurre*
- 3 *c. à table de farine*
- 1 1/2 *t. de bouillon de poulet*
- 1 1/2 *t. de crème à 15%*
- 3/4 *c. à thé de sel*
- 2 *lb de chair de crabe*
- 1/2 *t. de cognac*
- 1/4 *t. de sherry sec*
- 1 *c. à table de moutarde préparée*
- 1/4 *c. à thé de moutarde sèche délayée dans 1/2 c. à table d'eau*

Faire fondre dans une casserole 3 c. à table de beurre.
Ajouter la farine et bien mêler avec une cuillère en bois.

Ajouter la crème et le bouillon en petites quantités en brassant sans arrêt.

Ajouter le sel et laisser mijoter 5 minutes en brassant pour éviter les grumeaux.

Faire fondre dans une autre casserole le reste du beurre et y faire revenir la chair de crabe.

Chauffer le cognac et le sherry.

Verser sur le crabe et flamber.

Ajouter la moutarde préparée, puis la moutarde sèche et la sauce.

Parsemer de persil haché fin et servir chaud.

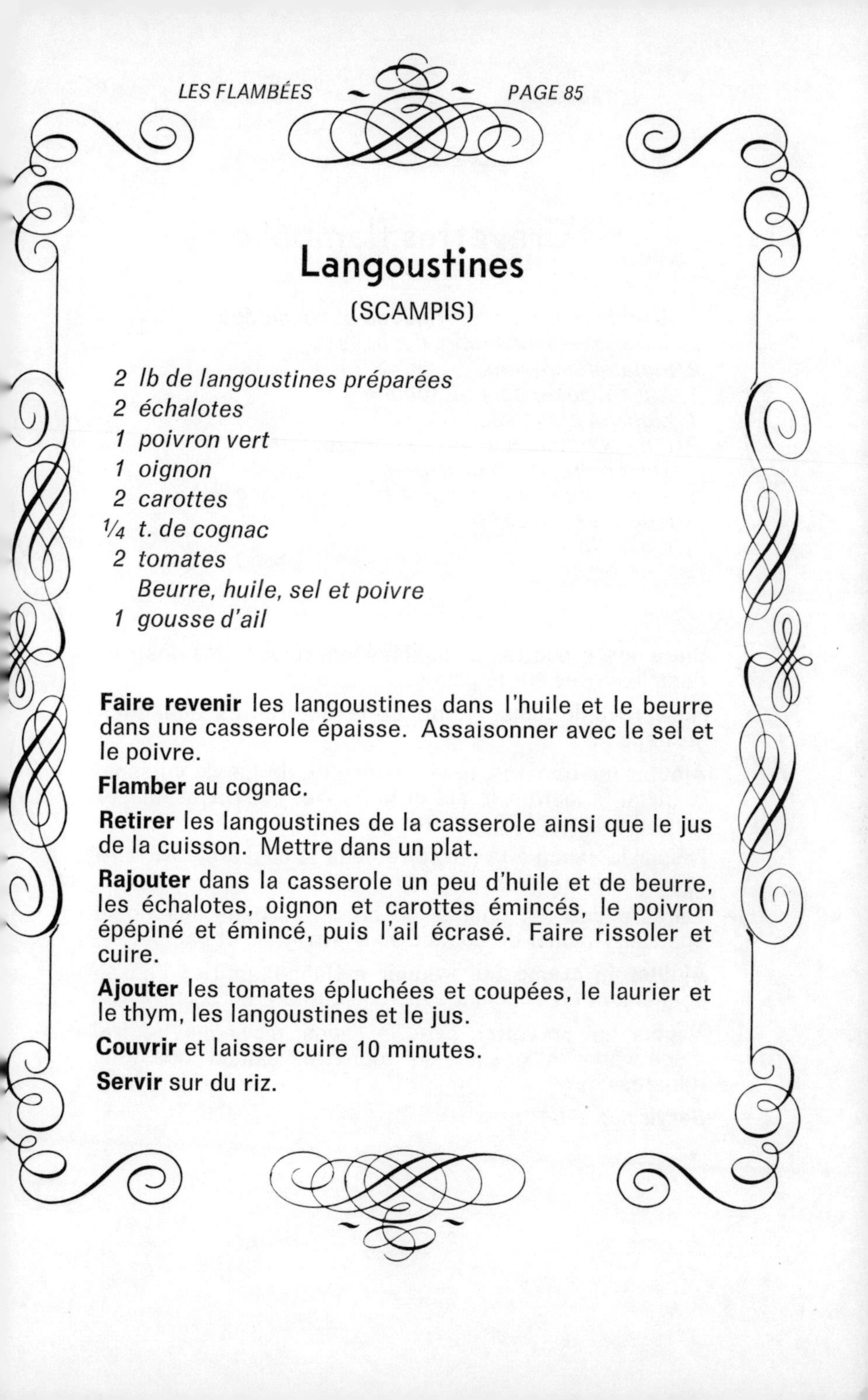

Langoustines

(SCAMPIS)

2 lb de langoustines préparées
2 échalotes
1 poivron vert
1 oignon
2 carottes
1/4 t. de cognac
2 tomates
Beurre, huile, sel et poivre
1 gousse d'ail

Faire revenir les langoustines dans l'huile et le beurre dans une casserole épaisse. Assaisonner avec le sel et le poivre.

Flamber au cognac.

Retirer les langoustines de la casserole ainsi que le jus de la cuisson. Mettre dans un plat.

Rajouter dans la casserole un peu d'huile et de beurre, les échalotes, oignon et carottes émincés, le poivron épépiné et émincé, puis l'ail écrasé. Faire rissoler et cuire.

Ajouter les tomates épluchées et coupées, le laurier et le thym, les langoustines et le jus.

Couvrir et laisser cuire 10 minutes.

Servir sur du riz.

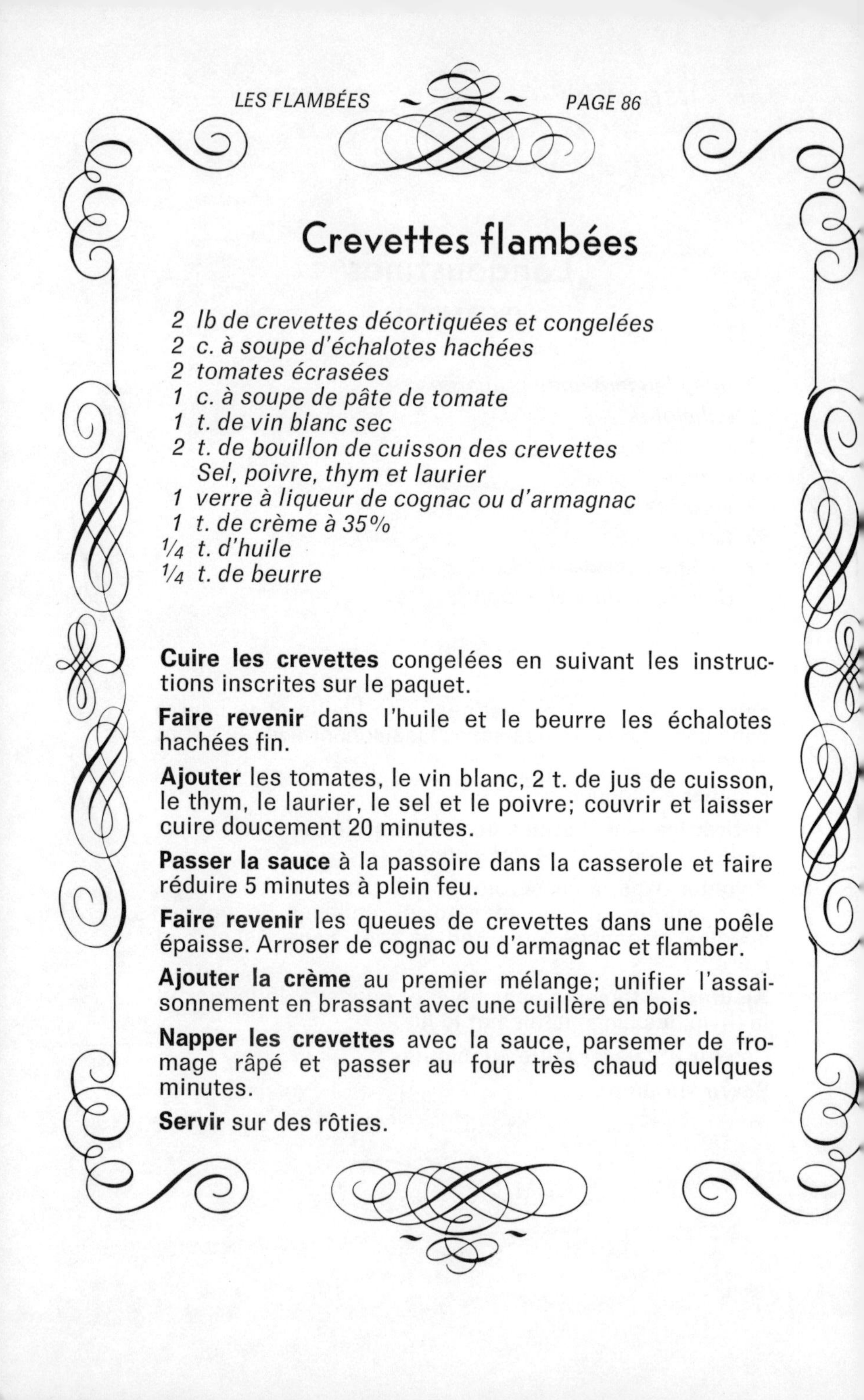

Crevettes flambées

2 lb de crevettes décortiquées et congelées
2 c. à soupe d'échalotes hachées
2 tomates écrasées
1 c. à soupe de pâte de tomate
1 t. de vin blanc sec
2 t. de bouillon de cuisson des crevettes
Sel, poivre, thym et laurier
1 verre à liqueur de cognac ou d'armagnac
1 t. de crème à 35%
1/4 t. d'huile
1/4 t. de beurre

Cuire les crevettes congelées en suivant les instructions inscrites sur le paquet.

Faire revenir dans l'huile et le beurre les échalotes hachées fin.

Ajouter les tomates, le vin blanc, 2 t. de jus de cuisson, le thym, le laurier, le sel et le poivre; couvrir et laisser cuire doucement 20 minutes.

Passer la sauce à la passoire dans la casserole et faire réduire 5 minutes à plein feu.

Faire revenir les queues de crevettes dans une poêle épaisse. Arroser de cognac ou d'armagnac et flamber.

Ajouter la crème au premier mélange; unifier l'assaisonnement en brassant avec une cuillère en bois.

Napper les crevettes avec la sauce, parsemer de fromage râpé et passer au four très chaud quelques minutes.

Servir sur des rôties.

Cuisses de grenouilles du restaurant "Les Mouettes"

6 cuisses par personne
1 œuf par personne
Farine
Beurre
Sel et poivre
Pastis

Passer les cuisses dans l'œuf battu; les enfariner et les passer dans le beurre chaud.

Cuire 5 minutes sur le poêle et mettre 5 minutes au four à 450°F sur la grille du centre.

Sortir du four, réchauffer le pastis dans la louche, le flamber et le verser sur les cuisses.

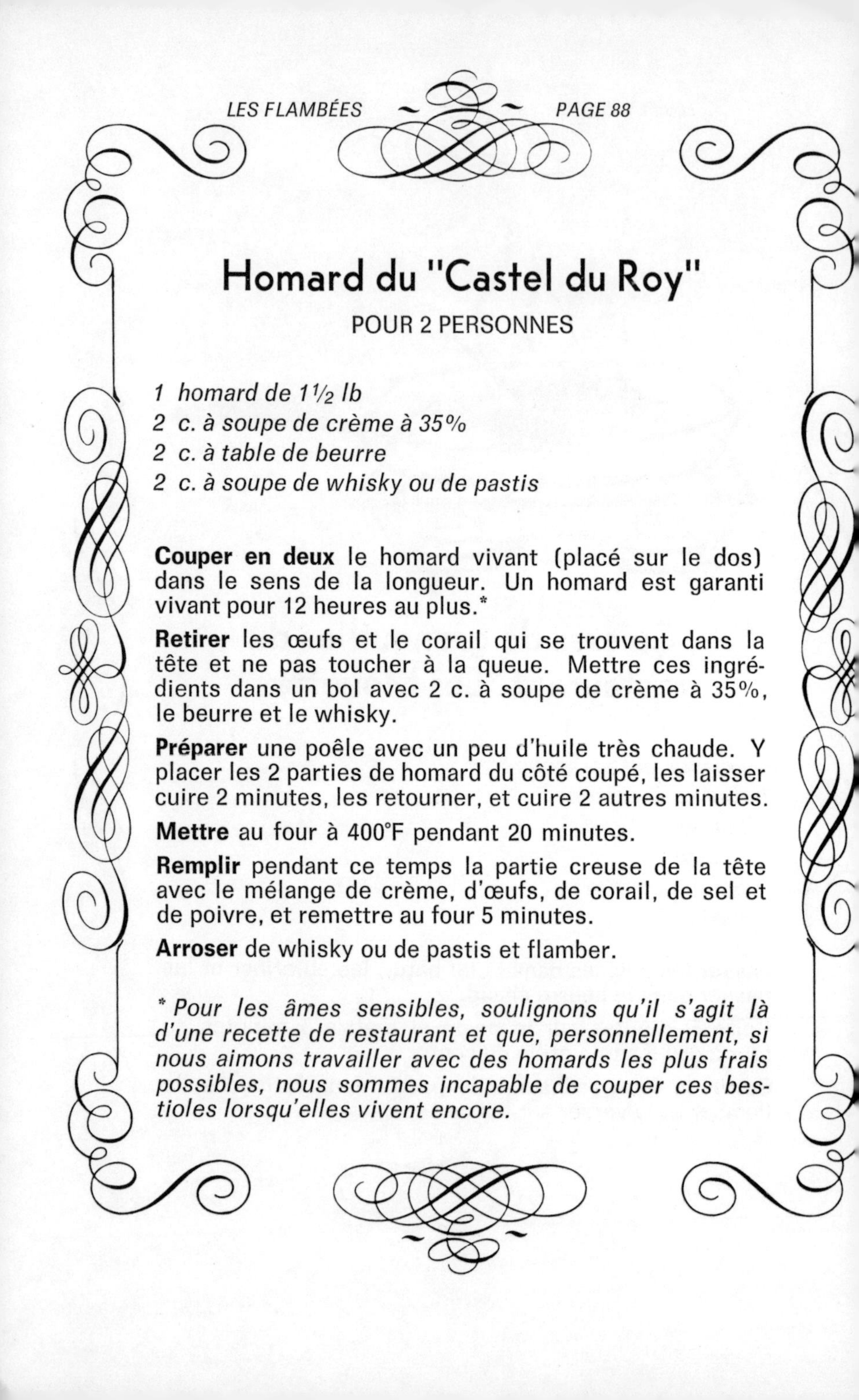

Homard du "Castel du Roy"

POUR 2 PERSONNES

1 homard de 1½ lb
2 c. à soupe de crème à 35%
2 c. à table de beurre
2 c. à soupe de whisky ou de pastis

Couper en deux le homard vivant (placé sur le dos) dans le sens de la longueur. Un homard est garanti vivant pour 12 heures au plus.*

Retirer les œufs et le corail qui se trouvent dans la tête et ne pas toucher à la queue. Mettre ces ingrédients dans un bol avec 2 c. à soupe de crème à 35%, le beurre et le whisky.

Préparer une poêle avec un peu d'huile très chaude. Y placer les 2 parties de homard du côté coupé, les laisser cuire 2 minutes, les retourner, et cuire 2 autres minutes.

Mettre au four à 400°F pendant 20 minutes.

Remplir pendant ce temps la partie creuse de la tête avec le mélange de crème, d'œufs, de corail, de sel et de poivre, et remettre au four 5 minutes.

Arroser de whisky ou de pastis et flamber.

** Pour les âmes sensibles, soulignons qu'il s'agit là d'une recette de restaurant et que, personnellement, si nous aimons travailler avec des homards les plus frais possibles, nous sommes incapable de couper ces bestioles lorsqu'elles vivent encore.*

Homard Jean Solar

POUR 2 PERSONNES*

2 homards cuits au court-bouillon

**(Un homard de 1½ lb est suffisant pour une personne)*

Beurre

Cognac

Vider les homards et couper en morceaux.
Sauter au beurre et flamber au cognac.
Délicieux avec une béchamel ou un velouté.

LES FRUITS
FLAMBÉS

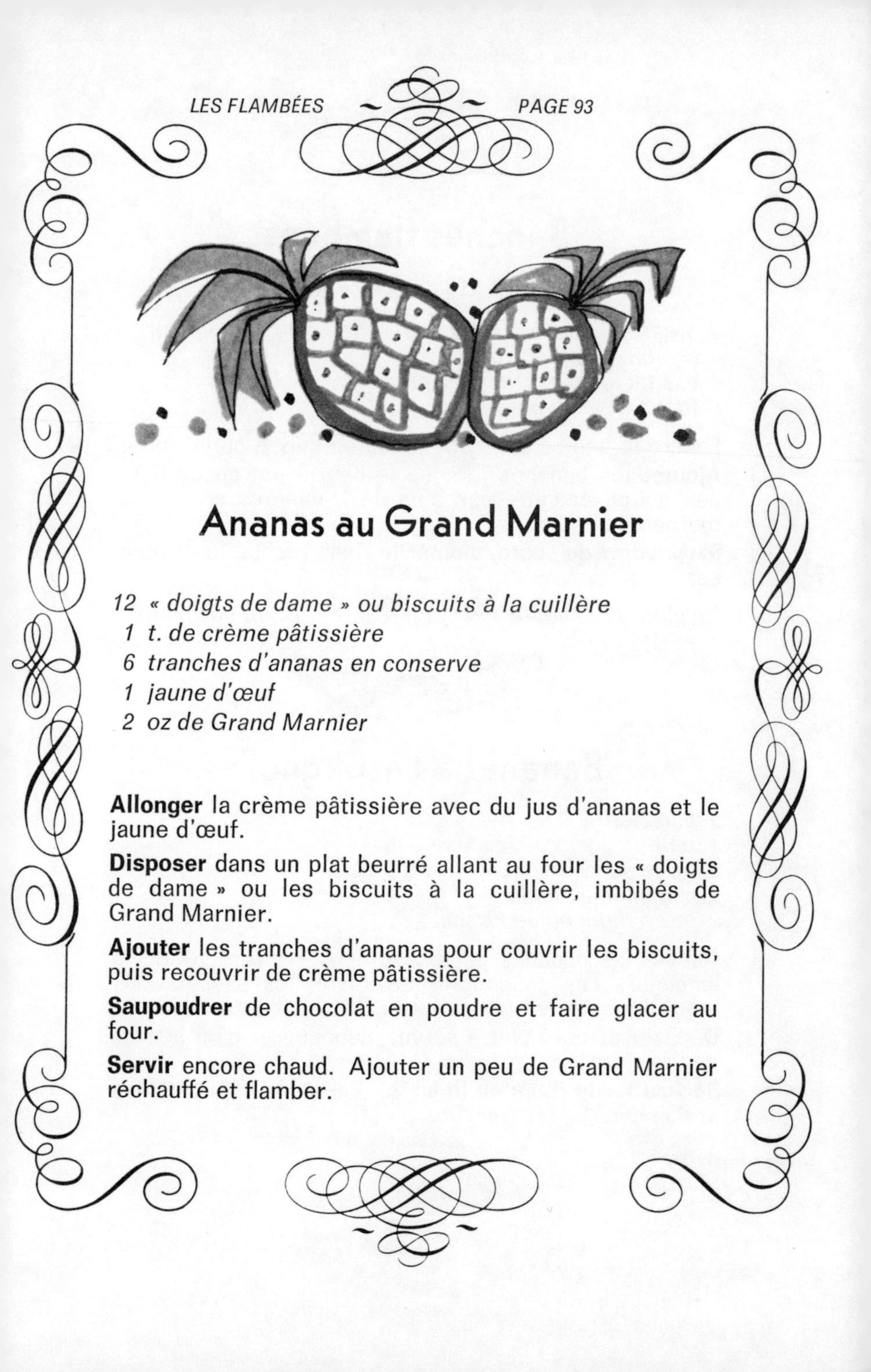

Ananas au Grand Marnier

12 « doigts de dame » ou biscuits à la cuillère
1 t. de crème pâtissière
6 tranches d'ananas en conserve
1 jaune d'œuf
2 oz de Grand Marnier

Allonger la crème pâtissière avec du jus d'ananas et le jaune d'œuf.

Disposer dans un plat beurré allant au four les « doigts de dame » ou les biscuits à la cuillère, imbibés de Grand Marnier.

Ajouter les tranches d'ananas pour couvrir les biscuits, puis recouvrir de crème pâtissière.

Saupoudrer de chocolat en poudre et faire glacer au four.

Servir encore chaud. Ajouter un peu de Grand Marnier réchauffé et flamber.

Bananes flambées

UN DESSERT FLAMBÉ « EXPRÈS »

4 grosses bananes tranchées en deux sur la longueur
4 c. à table de beurre
4 c. à table de sucre blanc granulé
Rhum brun au goût

Fondre le beurre dans une poêle en cuivre ou en fonte.
Ajouter les bananes lorsque le beurre est chaud mais non noirci, et cuire pas plus de 3 minutes en les retournant une fois.
Saupoudrer de sucre, ajouter le rhum réchauffé et flamber.

Ce plat, très simple, peut se préparer devant vos invités.

Bananes à l'espagnole

3 bananes
1 œuf
2 oz de sucre à fruit
3 c. à table de beurre
2 oz de rhum ou de kirsch

Couper les bananes pelées en deux sur le sens de la longueur. Les saupoudrer de sucre, les passer dans l'œuf battu, et les faire revenir dans le beurre.
Déposer dans le plat à servir. Saupoudrer d'un peu de sucre.
Réchauffer le rhum ou le kirsh. Verser sur les bananes et flamber.

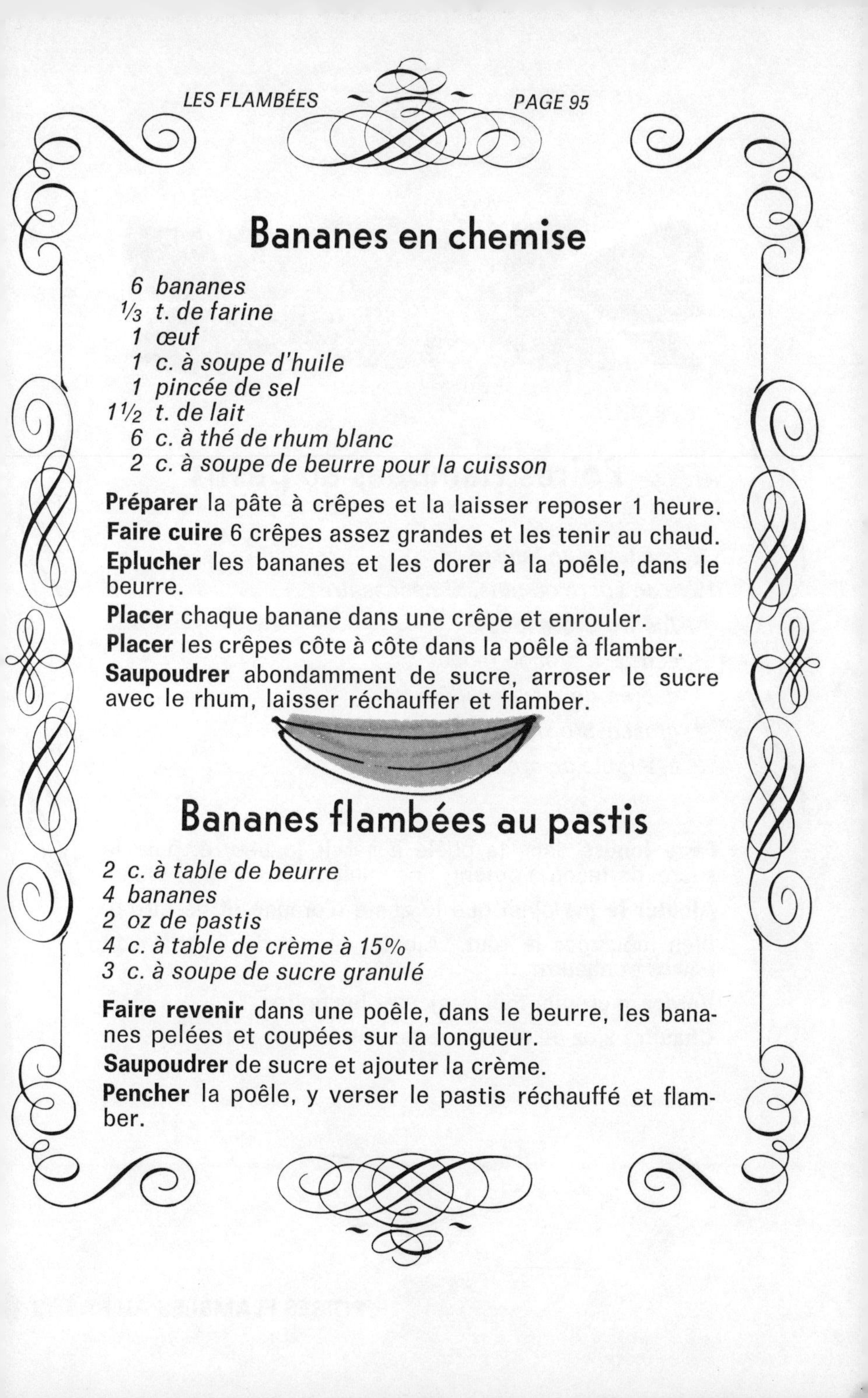

Bananes en chemise

6 bananes
1/3 t. de farine
1 œuf
1 c. à soupe d'huile
1 pincée de sel
1 1/2 t. de lait
6 c. à thé de rhum blanc
2 c. à soupe de beurre pour la cuisson

Préparer la pâte à crêpes et la laisser reposer 1 heure.

Faire cuire 6 crêpes assez grandes et les tenir au chaud.

Eplucher les bananes et les dorer à la poêle, dans le beurre.

Placer chaque banane dans une crêpe et enrouler.

Placer les crêpes côte à côte dans la poêle à flamber.

Saupoudrer abondamment de sucre, arroser le sucre avec le rhum, laisser réchauffer et flamber.

Bananes flambées au pastis

2 c. à table de beurre
4 bananes
2 oz de pastis
4 c. à table de crème à 15%
3 c. à soupe de sucre granulé

Faire revenir dans une poêle, dans le beurre, les bananes pelées et coupées sur la longueur.

Saupoudrer de sucre et ajouter la crème.

Pencher la poêle, y verser le pastis réchauffé et flamber.

Poires flambées au pastis

2 *c. à table de beurre*
¼ *t. de sucre ou plus, si nécessaire*
Jus de 2 oranges
1 *écorce d'orange râpée*
1 *écorce de citron râpée*
1 *grosse bte de poires*
2 *c. à table de crème épaisse*

Faire fondre dans la poêle à servir le beurre, puis le sucre, de façon à obtenir une couleur de caramel blond.

Ajouter le jus ainsi que le zeste d'orange et de citron.

Bien mélanger le tout. Ajouter le jus de la boîte de poires et chauffer.

Verser la crème; mêler, ajouter les poires.

Chauffer 2 oz de pastis, verser sur le tout et flamber.

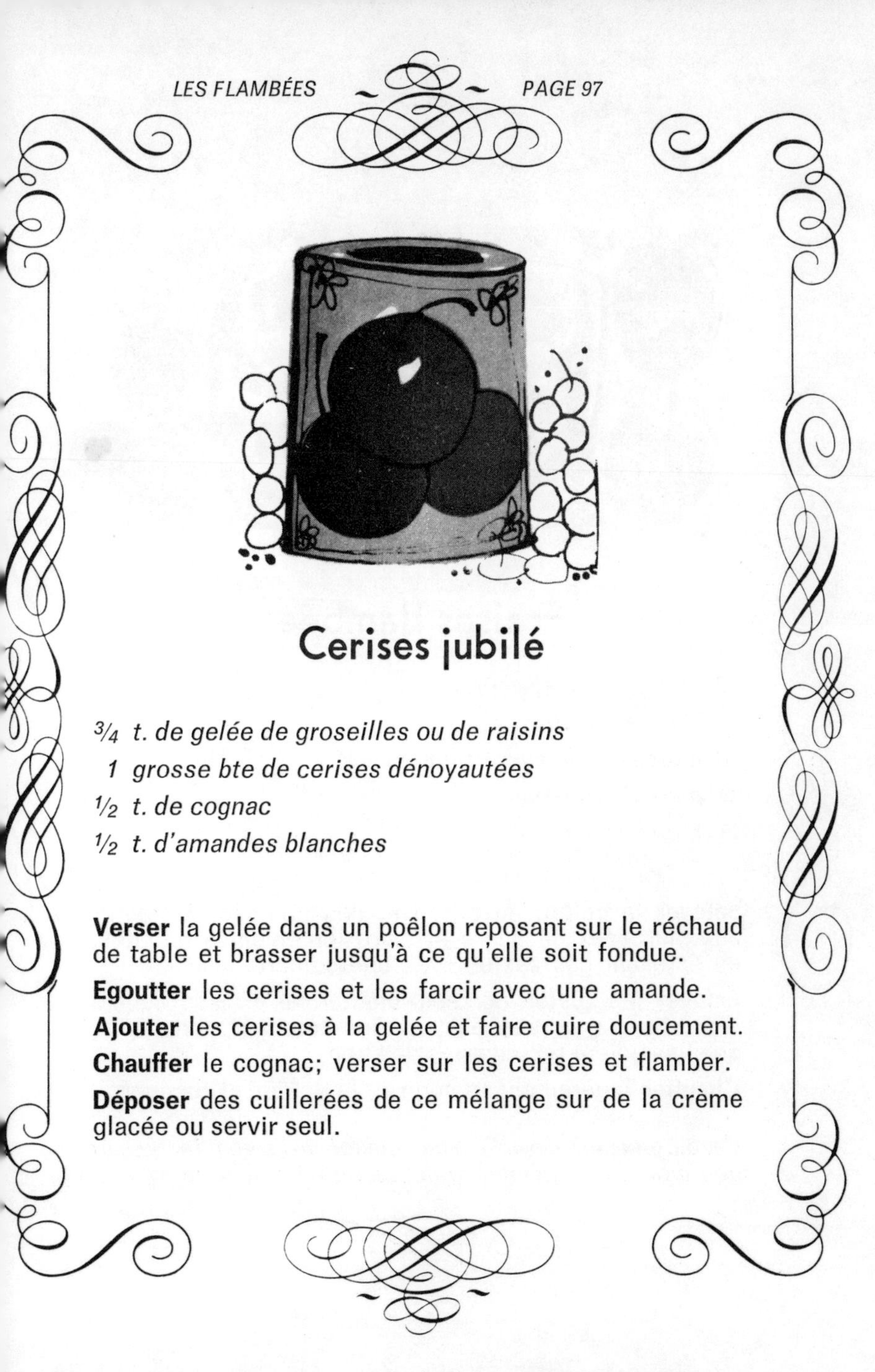

Cerises jubilé

3/4 t. de gelée de groseilles ou de raisins
1 grosse bte de cerises dénoyautées
1/2 t. de cognac
1/2 t. d'amandes blanches

Verser la gelée dans un poêlon reposant sur le réchaud de table et brasser jusqu'à ce qu'elle soit fondue.

Egoutter les cerises et les farcir avec une amande.

Ajouter les cerises à la gelée et faire cuire doucement.

Chauffer le cognac; verser sur les cerises et flamber.

Déposer des cuillerées de ce mélange sur de la crème glacée ou servir seul.

Fraises flambées

2 oranges, jus et écorce
1 écorce de citron
8 morceaux de sucre (cubes)
1 pinte de fraises
½ t. de cognac

Enlever la pelure du citron et des oranges. L'ajouter aux morceaux de sucre et cuire lentement 5 minutes, en écrasant ces zestes avec une cuillère.

Enlever les zestes écrasés, ajouter les fraises équeutées, lavées et séchées, en les tournant jusqu'à ce qu'elles soient recouvertes de sirop.

Chauffer légèrement le cognac, le verser et flamber.

Savoureux sur de la crème glacée à la vanille ou sur des moitiés de pêches fraîches ou en conserve.

Fruits flambés à la Charlebois

Couper en cubes des fruits frais et en boîte. Ajouter une t. de jus et ½ t. de sucre brun.

Verser dans votre plat de réchaud de table. Garnir de fraises fraîches et réchauffer le tout.

Réchauffer ½ t. de rhum ou ¼ t. de kirsch. Verser sur les fruits et flamber.

FRUITS SUGGÉRÉS

FRAIS:	PAMPLEMOUSSES	*EN CONSERVE:*	ANANAS
	ORANGES		PÊCHES
	RAISINS		POIRES
			ABRICOTS

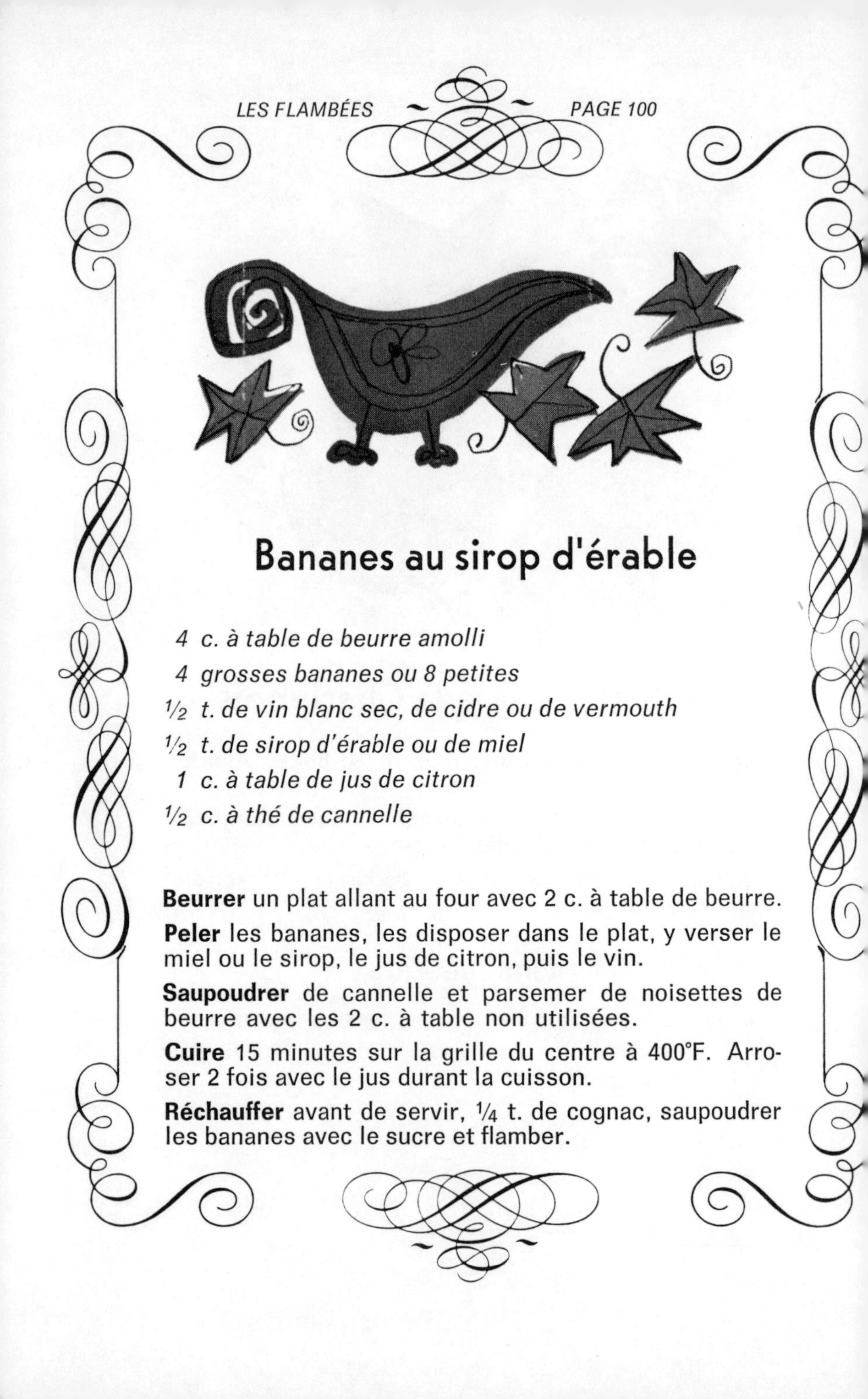

Bananes au sirop d'érable

4 c. à table de beurre amolli
4 grosses bananes ou 8 petites
1/2 t. de vin blanc sec, de cidre ou de vermouth
1/2 t. de sirop d'érable ou de miel
1 c. à table de jus de citron
1/2 c. à thé de cannelle

Beurrer un plat allant au four avec 2 c. à table de beurre.

Peler les bananes, les disposer dans le plat, y verser le miel ou le sirop, le jus de citron, puis le vin.

Saupoudrer de cannelle et parsemer de noisettes de beurre avec les 2 c. à table non utilisées.

Cuire 15 minutes sur la grille du centre à 400°F. Arroser 2 fois avec le jus durant la cuisson.

Réchauffer avant de servir, 1/4 t. de cognac, saupoudrer les bananes avec le sucre et flamber.

Poires siciliennes

4 *grosses poires fraîches, pelées et divisées en deux*
1/4 *t. d'amandes*
2 *c. à table de beurre fondu*
3 *gouttes d'extrait d'amande*
3/4 *t. de sherry*

Mélanger les amandes, le beurre et l'essence.

Déposer le mélange dans la cavité des poires.

Cuire au four 1/2 heure à 350°F.

Chauffer le sherry, verser sur les poires et flamber.

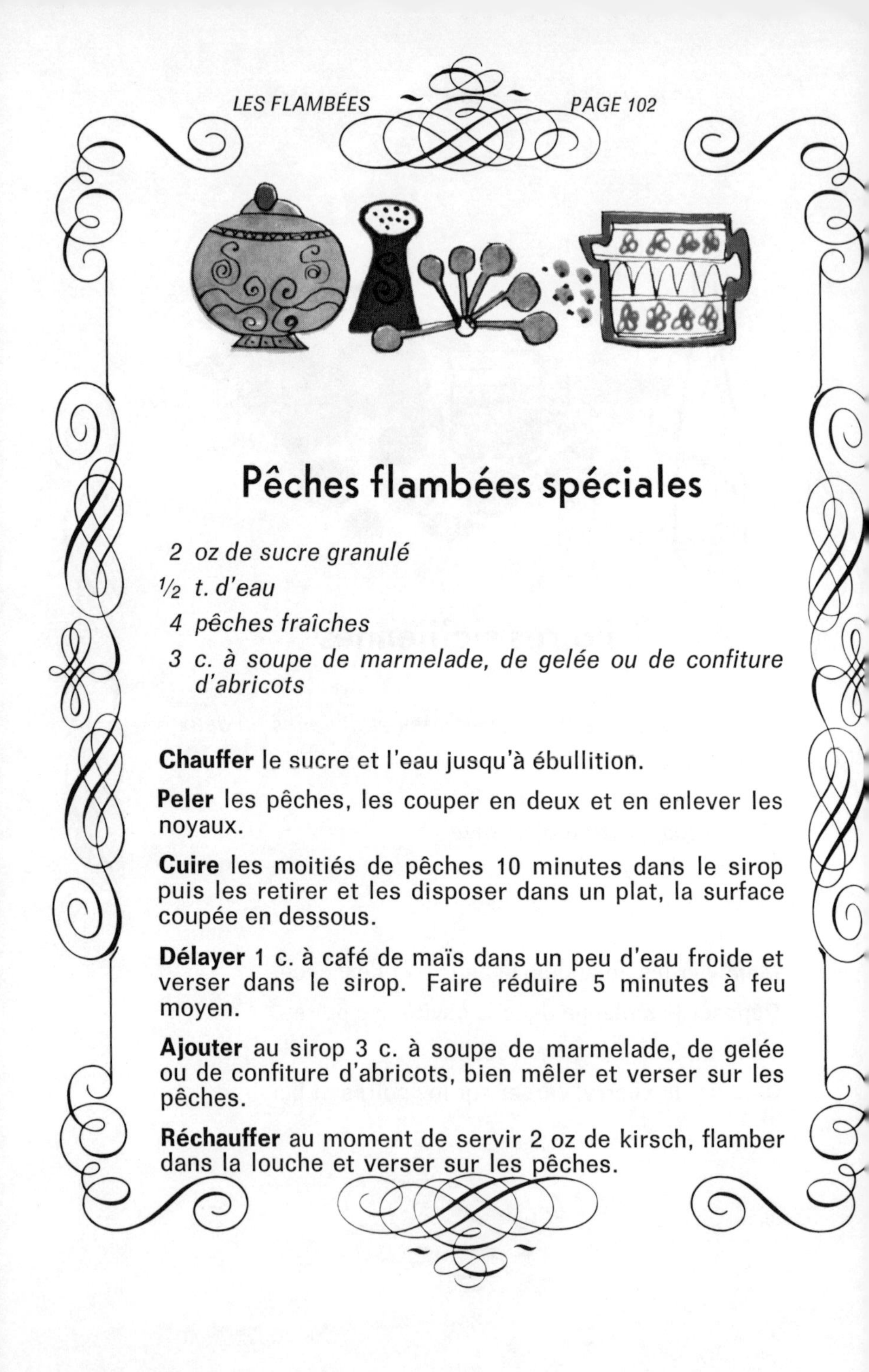

Pêches flambées spéciales

2 oz de sucre granulé
½ t. d'eau
4 pêches fraîches
3 c. à soupe de marmelade, de gelée ou de confiture d'abricots

Chauffer le sucre et l'eau jusqu'à ébullition.

Peler les pêches, les couper en deux et en enlever les noyaux.

Cuire les moitiés de pêches 10 minutes dans le sirop puis les retirer et les disposer dans un plat, la surface coupée en dessous.

Délayer 1 c. à café de maïs dans un peu d'eau froide et verser dans le sirop. Faire réduire 5 minutes à feu moyen.

Ajouter au sirop 3 c. à soupe de marmelade, de gelée ou de confiture d'abricots, bien mêler et verser sur les pêches.

Réchauffer au moment de servir 2 oz de kirsch, flamber dans la louche et verser sur les pêches.

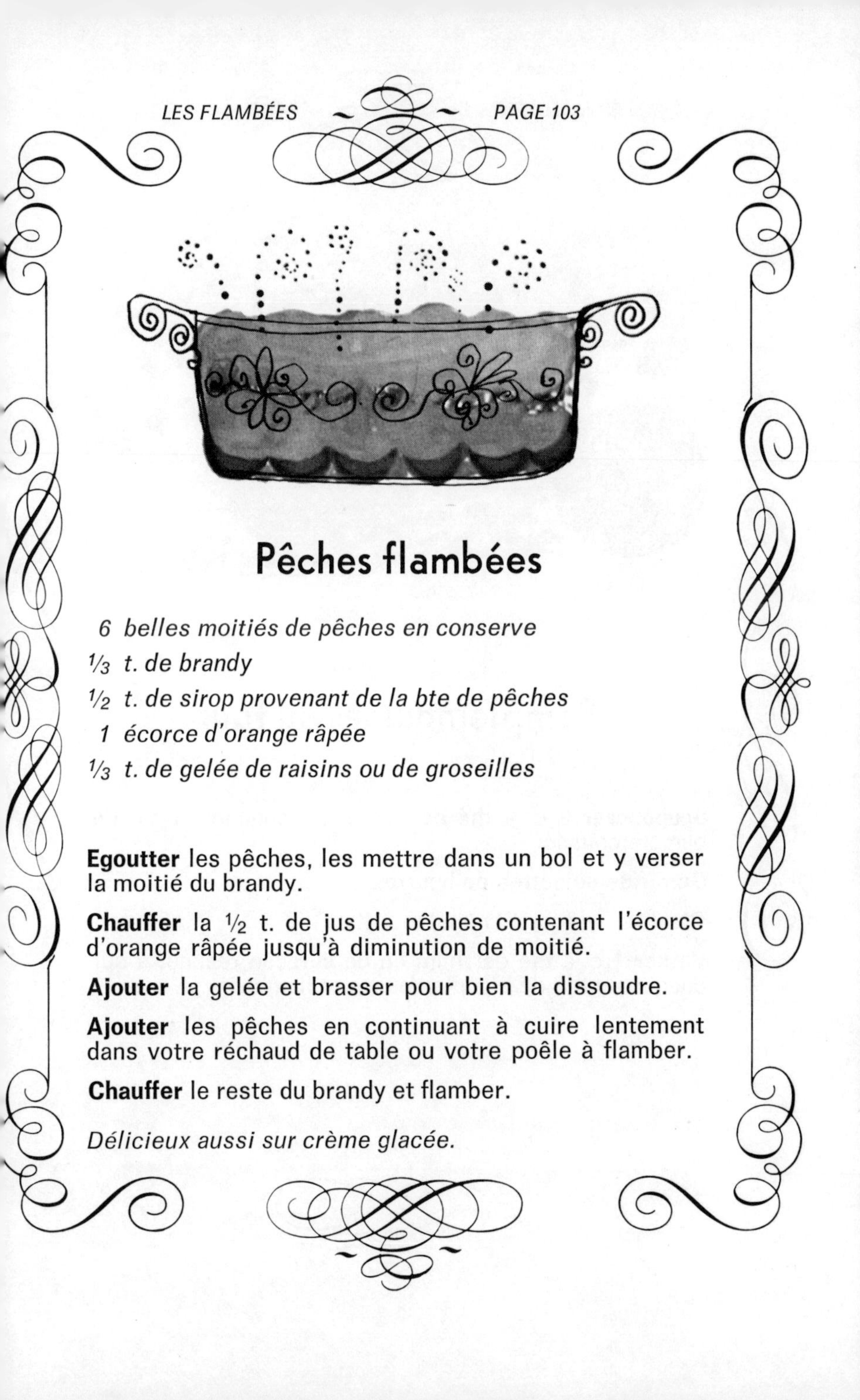

Pêches flambées

6 belles moitiés de pêches en conserve
1/3 t. de brandy
1/2 t. de sirop provenant de la bte de pêches
1 écorce d'orange râpée
1/3 t. de gelée de raisins ou de groseilles

Egoutter les pêches, les mettre dans un bol et y verser la moitié du brandy.

Chauffer la 1/2 t. de jus de pêches contenant l'écorce d'orange râpée jusqu'à diminution de moitié.

Ajouter la gelée et brasser pour bien la dissoudre.

Ajouter les pêches en continuant à cuire lentement dans votre réchaud de table ou votre poêle à flamber.

Chauffer le reste du brandy et flamber.

Délicieux aussi sur crème glacée.

Pamplemousses au four

Saupoudrer 2 c. à thé de sucre sur chaque moitié de pamplemousse.

Garnir de noisettes de beurre.

Chauffer au four 10 minutes à 400°F.

Verser 1 c. à thé de rhum ou de curaçao réchauffé sur chaque moitié de pamplemousse et flamber.

LES DESSERTS ET BREUVAGES
FLAMBÉS

Soufflé au rhum

2 jaunes d'œufs
1/4 t. de sucre en poudre
1 c. à soupe de rhum
4 blancs d'œufs
1 pincée de sel

Battre les jaunes jusqu'à consistance épaisse.

Ajouter le sucre, le sel et le rhum.

Incorporer les blancs d'œufs battus en neige.

Chauffer et beurrer une poêle à omelette ou se servir d'une poêle de type « Tefal » ou « Teflon ».

Verser le mélange dans la poêle. Si elle n'est pas très grande, cuire l'omelette en deux parties.

Plier lorsque l'omelette est bien cuite et saupoudrer de sucre en poudre.

Verser 1/4 t. de rhum réchauffé et flamber.

Ce dessert n'attend pas . . .

Soufflé à l'orange

2 oranges
2/3 t. de sucre blanc granulé
6 jaunes d'œufs
1/4 t. de rhum brun

Extraire le jus de 2 oranges et râper l'écorce.

Ecraser ensemble dans un bol l'écorce râpée et le sucre avec une cuillère en bois.

Battre dans un autre bol les jaunes d'œufs et ajouter par petites quantités le mélange d'écorce et de sucre.

Ajouter le rhum et le jus d'orange.

Déposer le tout dans la partie supérieure d'un bain-marie et battre de 3 à 4 minutes, jusqu'à épaississement.

Retirer du feu et battre pendant 4 à 5 minutes de plus.

Chauffer le four à 375°F.

(Suite à la page suivante)

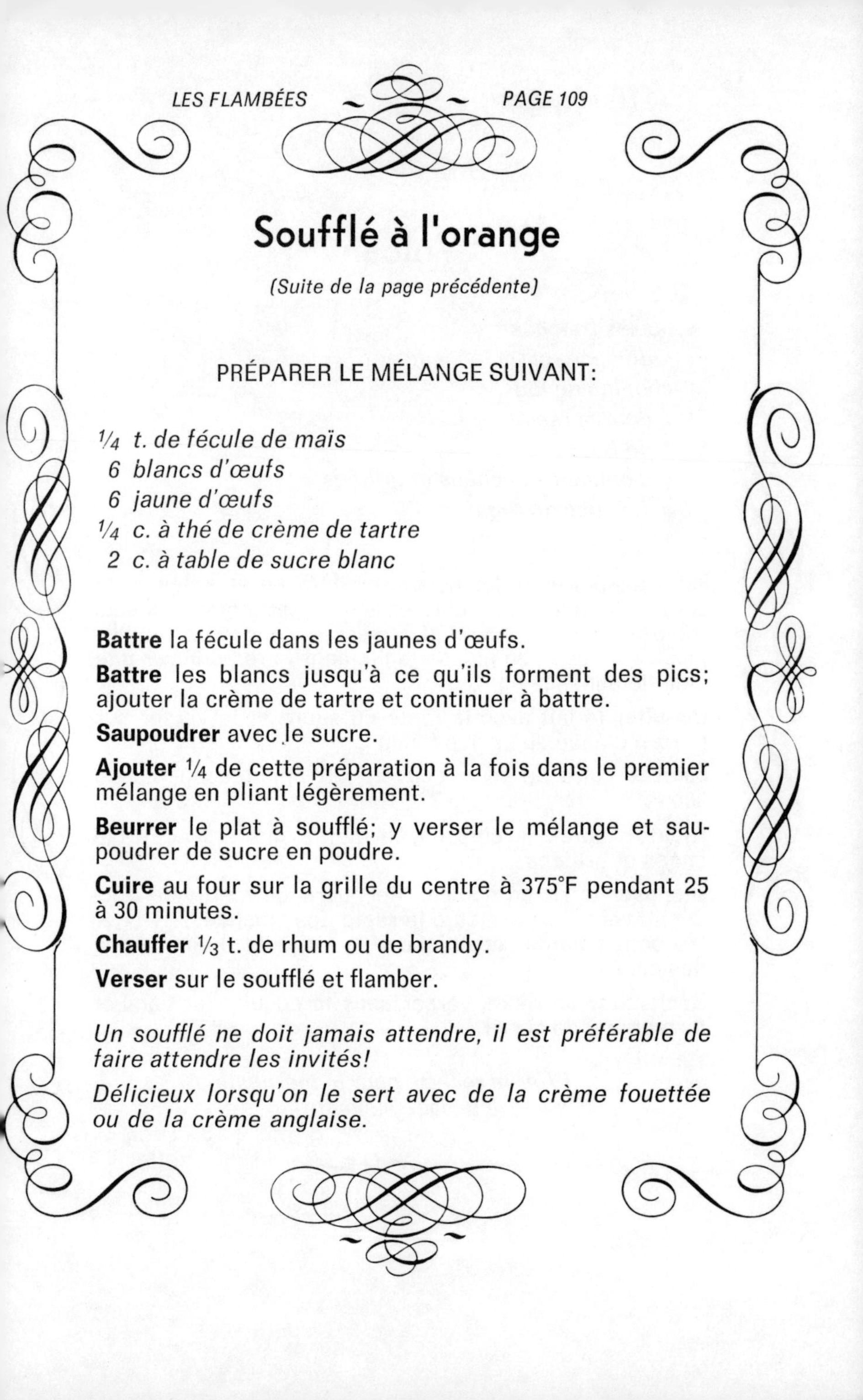

Soufflé à l'orange

(Suite de la page précédente)

PRÉPARER LE MÉLANGE SUIVANT:

1/4 t. de fécule de maïs
6 blancs d'œufs
6 jaune d'œufs
1/4 c. à thé de crème de tartre
2 c. à table de sucre blanc

Battre la fécule dans les jaunes d'œufs.

Battre les blancs jusqu'à ce qu'ils forment des pics; ajouter la crème de tartre et continuer à battre.

Saupoudrer avec le sucre.

Ajouter 1/4 de cette préparation à la fois dans le premier mélange en pliant légèrement.

Beurrer le plat à soufflé; y verser le mélange et saupoudrer de sucre en poudre.

Cuire au four sur la grille du centre à 375°F pendant 25 à 30 minutes.

Chauffer 1/3 t. de rhum ou de brandy.

Verser sur le soufflé et flamber.

Un soufflé ne doit jamais attendre, il est préférable de faire attendre les invités!

Délicieux lorsqu'on le sert avec de la crème fouettée ou de la crème anglaise.

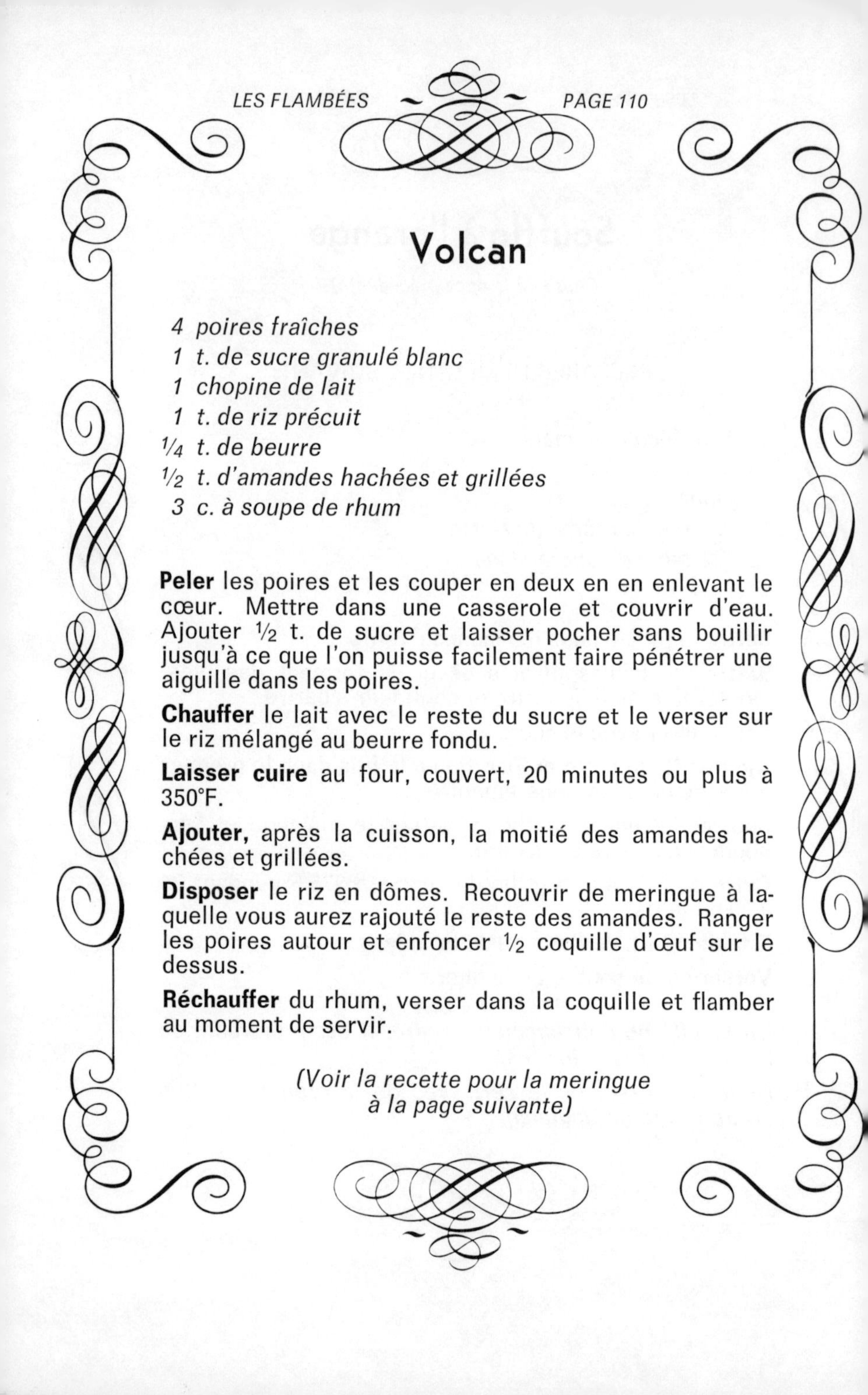

Volcan

4 poires fraîches
1 t. de sucre granulé blanc
1 chopine de lait
1 t. de riz précuit
1/4 t. de beurre
1/2 t. d'amandes hachées et grillées
3 c. à soupe de rhum

Peler les poires et les couper en deux en en enlevant le cœur. Mettre dans une casserole et couvrir d'eau. Ajouter 1/2 t. de sucre et laisser pocher sans bouillir jusqu'à ce que l'on puisse facilement faire pénétrer une aiguille dans les poires.

Chauffer le lait avec le reste du sucre et le verser sur le riz mélangé au beurre fondu.

Laisser cuire au four, couvert, 20 minutes ou plus à 350°F.

Ajouter, après la cuisson, la moitié des amandes hachées et grillées.

Disposer le riz en dômes. Recouvrir de meringue à laquelle vous aurez rajouté le reste des amandes. Ranger les poires autour et enfoncer 1/2 coquille d'œuf sur le dessus.

Réchauffer du rhum, verser dans la coquille et flamber au moment de servir.

(Voir la recette pour la meringue à la page suivante)

Meringue pour volcan

(voir recette à la page précédente)

½ t. de blanc d'œuf

½ t. de sucre granulé blanc

¼ c. à thé de sel

Placer les blancs d'œufs dans la partie supérieure du bain-marie et battre au batteur électrique pour faire une mousse molle.

Mettre sur la partie inférieure contenant de l'eau chaude et battre jusqu'à ce que le mélange soit tiède.

Retirer du bain-marie et battre de 6 à 10 minutes ou jusqu'à ce que la meringue se tienne en pics.

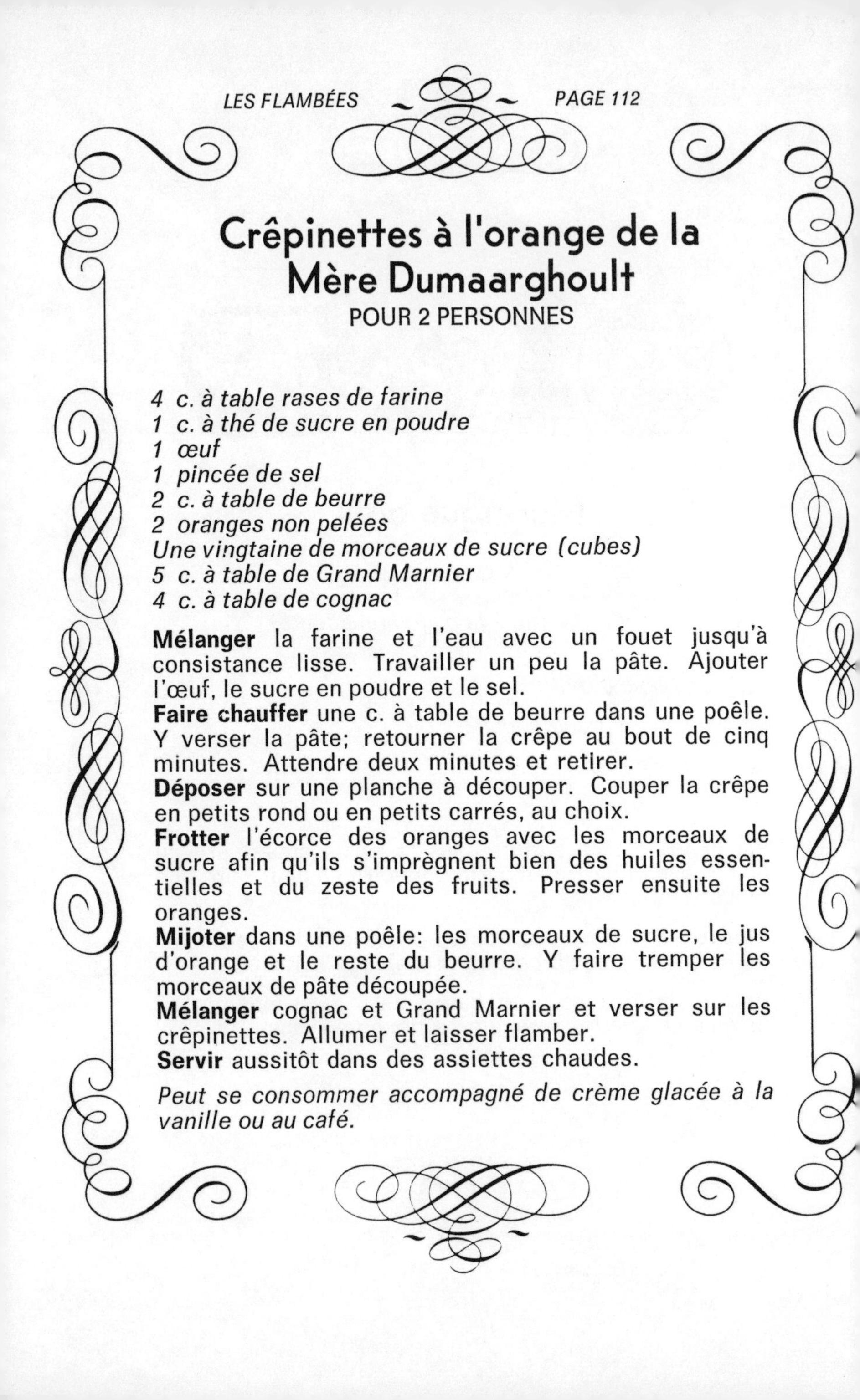

Crêpinettes à l'orange de la Mère Dumaarghoult

POUR 2 PERSONNES

4 c. à table rases de farine
1 c. à thé de sucre en poudre
1 œuf
1 pincée de sel
2 c. à table de beurre
2 oranges non pelées
Une vingtaine de morceaux de sucre (cubes)
5 c. à table de Grand Marnier
4 c. à table de cognac

Mélanger la farine et l'eau avec un fouet jusqu'à consistance lisse. Travailler un peu la pâte. Ajouter l'œuf, le sucre en poudre et le sel.
Faire chauffer une c. à table de beurre dans une poêle. Y verser la pâte; retourner la crêpe au bout de cinq minutes. Attendre deux minutes et retirer.
Déposer sur une planche à découper. Couper la crêpe en petits rond ou en petits carrés, au choix.
Frotter l'écorce des oranges avec les morceaux de sucre afin qu'ils s'imprègnent bien des huiles essentielles et du zeste des fruits. Presser ensuite les oranges.
Mijoter dans une poêle: les morceaux de sucre, le jus d'orange et le reste du beurre. Y faire tremper les morceaux de pâte découpée.
Mélanger cognac et Grand Marnier et verser sur les crêpinettes. Allumer et laisser flamber.
Servir aussitôt dans des assiettes chaudes.

Peut se consommer accompagné de crème glacée à la vanille ou au café.

Gâteau aux fruits

1 gâteau aux fruits de forme tubulaire, non glacé

Déposer le gâteau dans votre réchaud de table.

Arroser le gâteau avec ½ t. de rhum.

Réchauffer 3 c. à table de rhum; verser dans le centre et flamber.

Pouding de Noël

Réchauffer le pouding et y verser le brandy ou cognac chauffé.

Flamber.

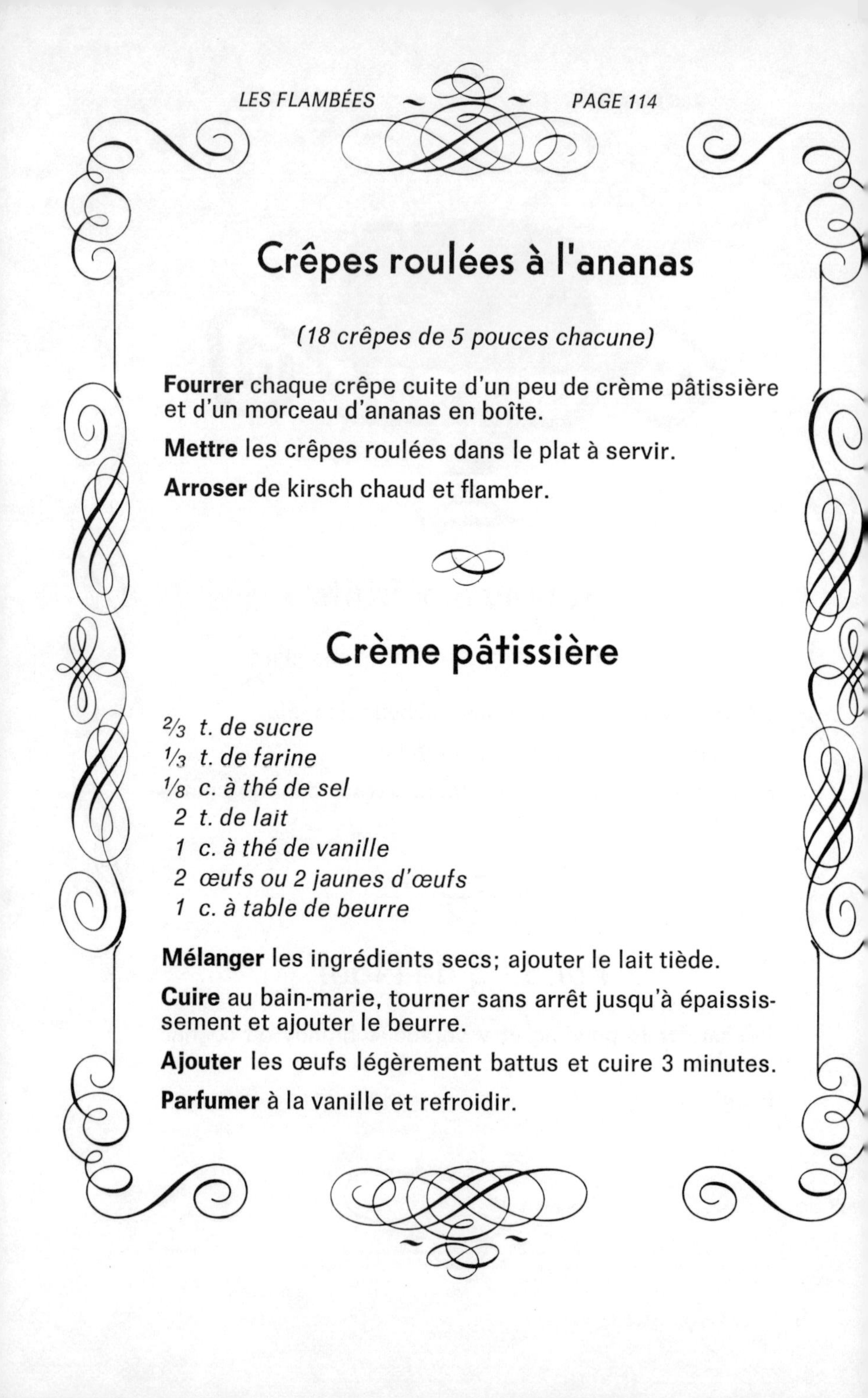

Crêpes roulées à l'ananas

(18 crêpes de 5 pouces chacune)

Fourrer chaque crêpe cuite d'un peu de crème pâtissière et d'un morceau d'ananas en boîte.

Mettre les crêpes roulées dans le plat à servir.

Arroser de kirsch chaud et flamber.

Crème pâtissière

2/3 t. de sucre
1/3 t. de farine
1/8 c. à thé de sel
2 t. de lait
1 c. à thé de vanille
2 œufs ou 2 jaunes d'œufs
1 c. à table de beurre

Mélanger les ingrédients secs; ajouter le lait tiède.

Cuire au bain-marie, tourner sans arrêt jusqu'à épaississement et ajouter le beurre.

Ajouter les œufs légèrement battus et cuire 3 minutes.

Parfumer à la vanille et refroidir.

Crêpes fines pour flamber

(18 crêpes de 5 à 6 pouces de diamètre)

3/4 t. de lait
3/4 t. d'eau
3 jaunes d'œufs
1 c. à table de sucre granulé blanc
3 c. à table de liqueur d'orange, de rhum ou de cognac
1 1/2 t. de farine à tout usage, mesurée avant de tamiser
5 c. à table de beurre fondu

Mélanger tous les ingrédients avec un batteur électrique pendant une minute.

Réfrigérer au moins 2 heures.

Cuire les crêpes dans une poêle de type « Teflon ».

Ajouter, si la pâte semble trop épaisse après la première crêpe, 1 c. à table ou plus d'eau.

Les placer, si les crêpes sont faites à l'avance, entre des rangs de papier ciré ou de papier d'aluminium.

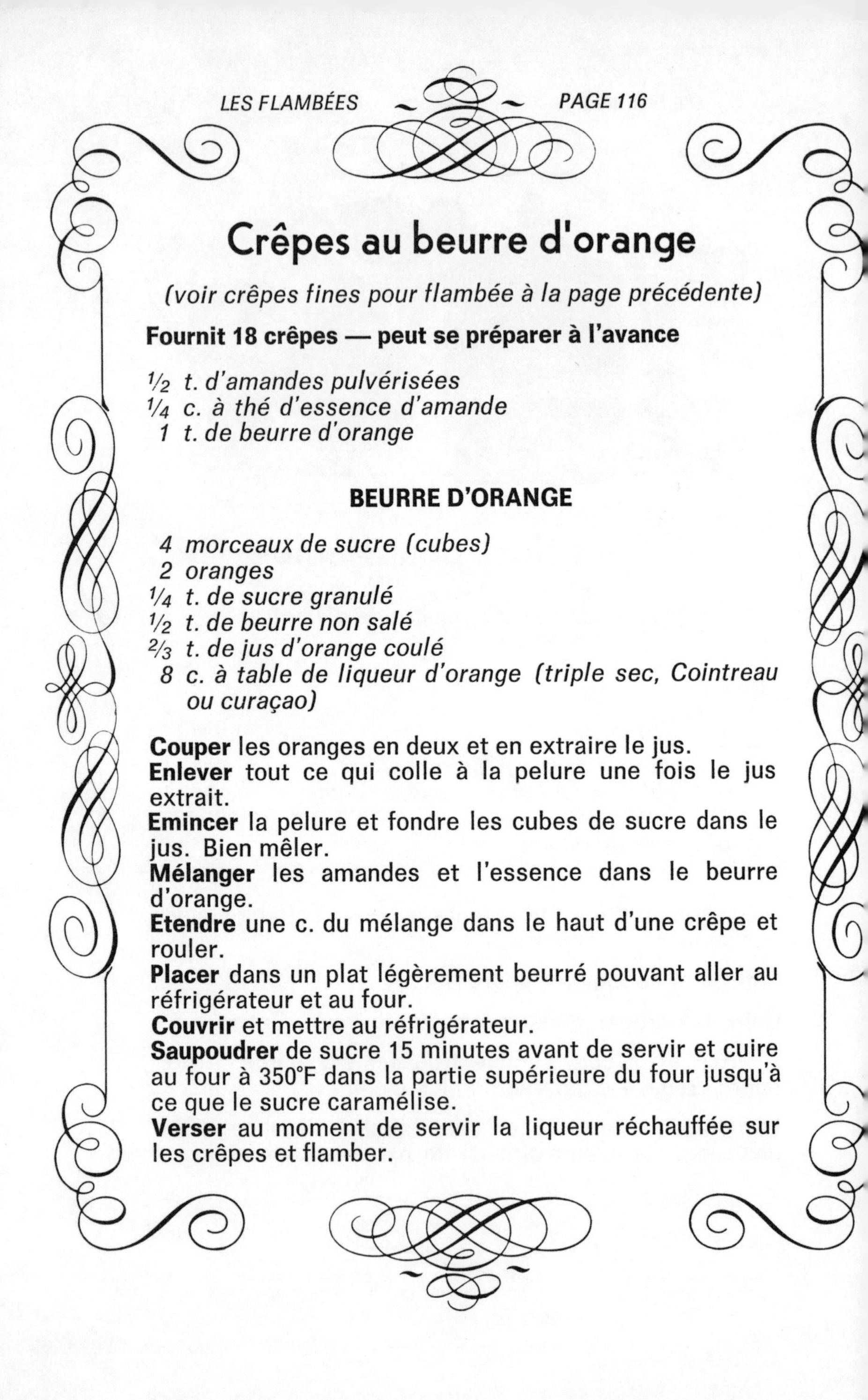

Crêpes au beurre d'orange

(voir crêpes fines pour flambée à la page précédente)

Fournit 18 crêpes — peut se préparer à l'avance

1/2 t. d'amandes pulvérisées
1/4 c. à thé d'essence d'amande
1 t. de beurre d'orange

BEURRE D'ORANGE

4 morceaux de sucre (cubes)
2 oranges
1/4 t. de sucre granulé
1/2 t. de beurre non salé
2/3 t. de jus d'orange coulé
8 c. à table de liqueur d'orange (triple sec, Cointreau ou curaçao)

Couper les oranges en deux et en extraire le jus.
Enlever tout ce qui colle à la pelure une fois le jus extrait.
Emincer la pelure et fondre les cubes de sucre dans le jus. Bien mêler.
Mélanger les amandes et l'essence dans le beurre d'orange.
Etendre une c. du mélange dans le haut d'une crêpe et rouler.
Placer dans un plat légèrement beurré pouvant aller au réfrigérateur et au four.
Couvrir et mettre au réfrigérateur.
Saupoudrer de sucre 15 minutes avant de servir et cuire au four à 350°F dans la partie supérieure du four jusqu'à ce que le sucre caramélise.
Verser au moment de servir la liqueur réchauffée sur les crêpes et flamber.

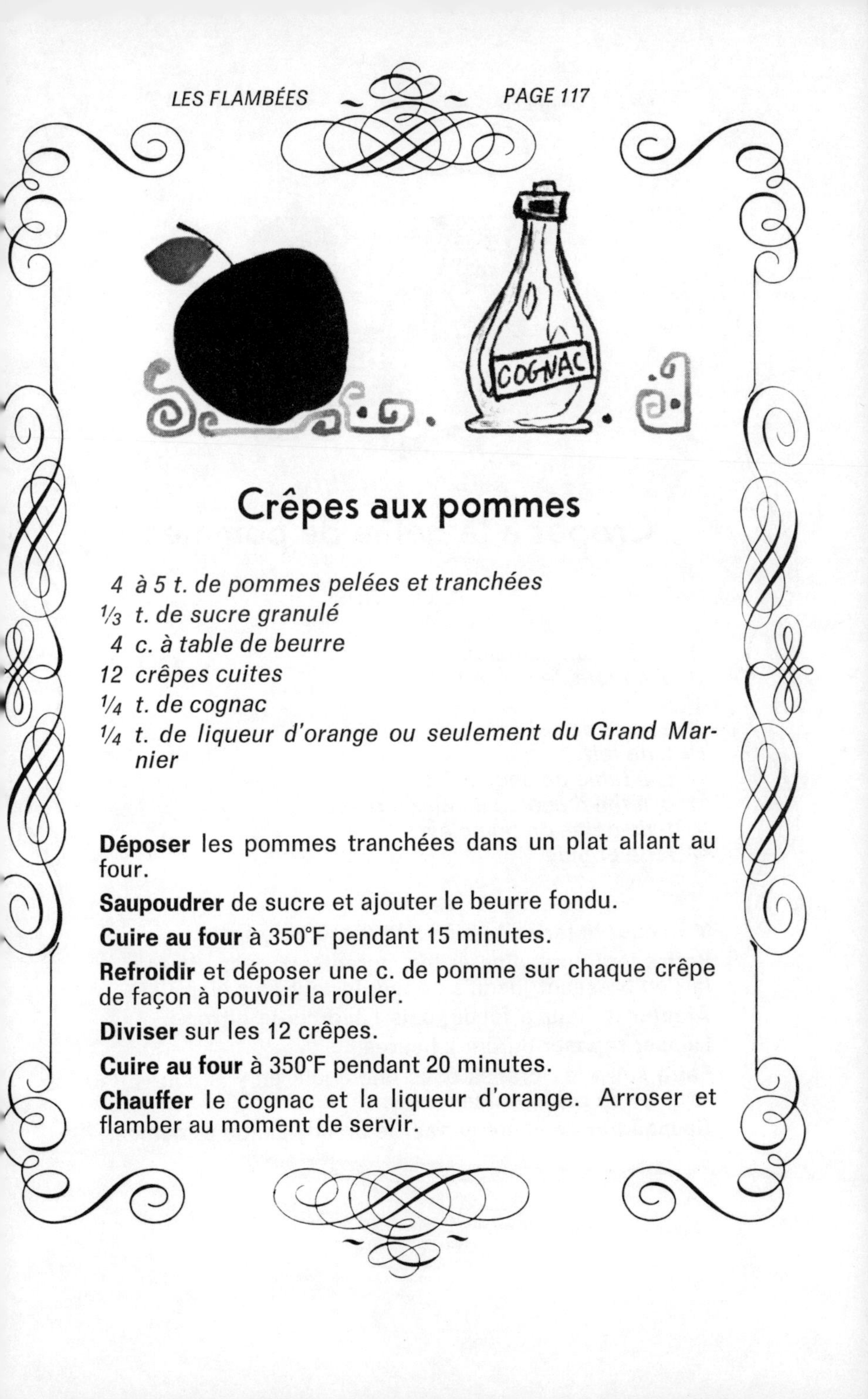

Crêpes aux pommes

4 à 5 t. de pommes pelées et tranchées
1/3 t. de sucre granulé
4 c. à table de beurre
12 crêpes cuites
1/4 t. de cognac
1/4 t. de liqueur d'orange ou seulement du Grand Marnier

Déposer les pommes tranchées dans un plat allant au four.

Saupoudrer de sucre et ajouter le beurre fondu.

Cuire au four à 350°F pendant 15 minutes.

Refroidir et déposer une c. de pomme sur chaque crêpe de façon à pouvoir la rouler.

Diviser sur les 12 crêpes.

Cuire au four à 350°F pendant 20 minutes.

Chauffer le cognac et la liqueur d'orange. Arroser et flamber au moment de servir.

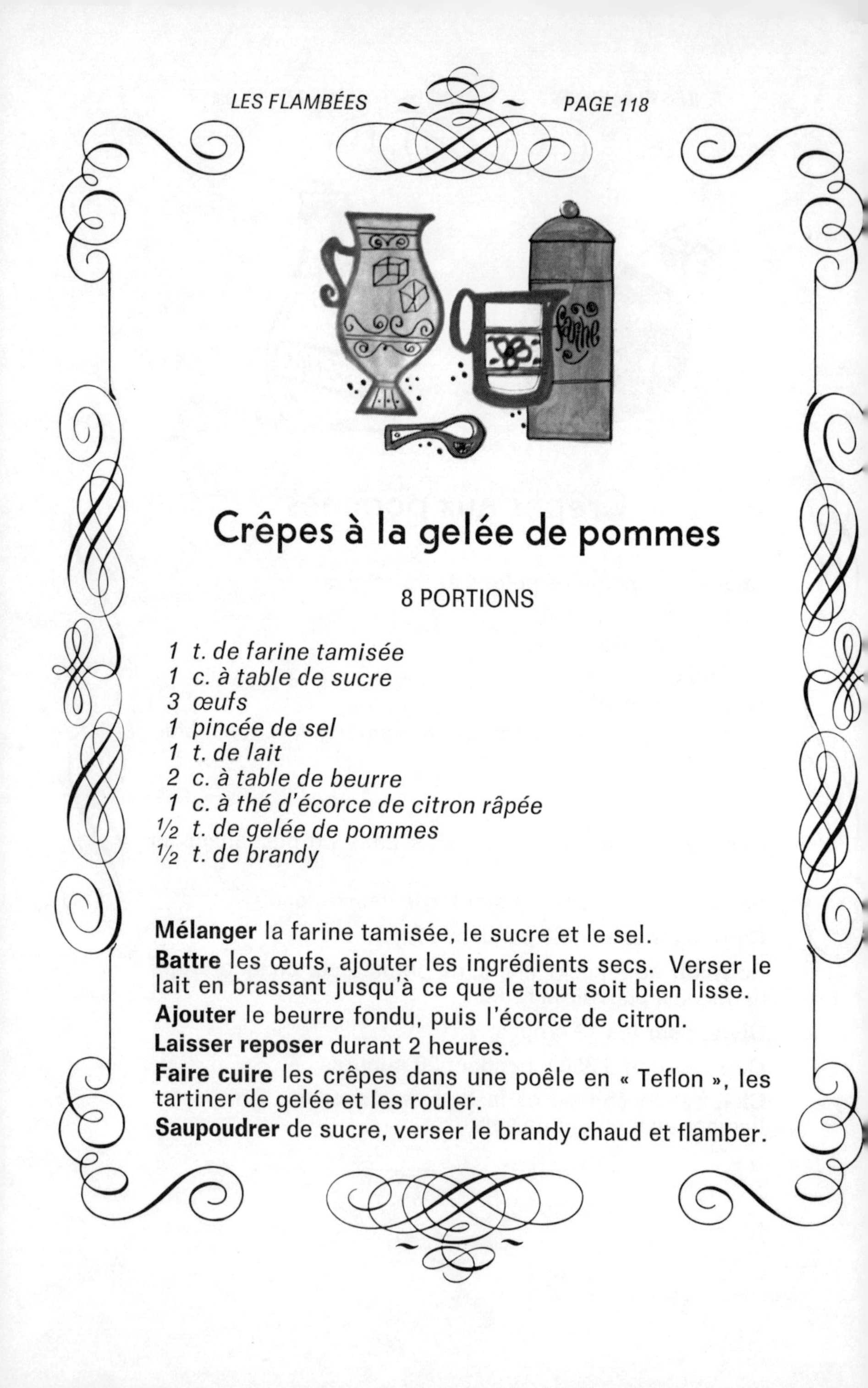

Crêpes à la gelée de pommes

8 PORTIONS

- *1 t. de farine tamisée*
- *1 c. à table de sucre*
- *3 œufs*
- *1 pincée de sel*
- *1 t. de lait*
- *2 c. à table de beurre*
- *1 c. à thé d'écorce de citron râpée*
- *½ t. de gelée de pommes*
- *½ t. de brandy*

Mélanger la farine tamisée, le sucre et le sel.

Battre les œufs, ajouter les ingrédients secs. Verser le lait en brassant jusqu'à ce que le tout soit bien lisse.

Ajouter le beurre fondu, puis l'écorce de citron.

Laisser reposer durant 2 heures.

Faire cuire les crêpes dans une poêle en « Teflon », les tartiner de gelée et les rouler.

Saupoudrer de sucre, verser le brandy chaud et flamber.

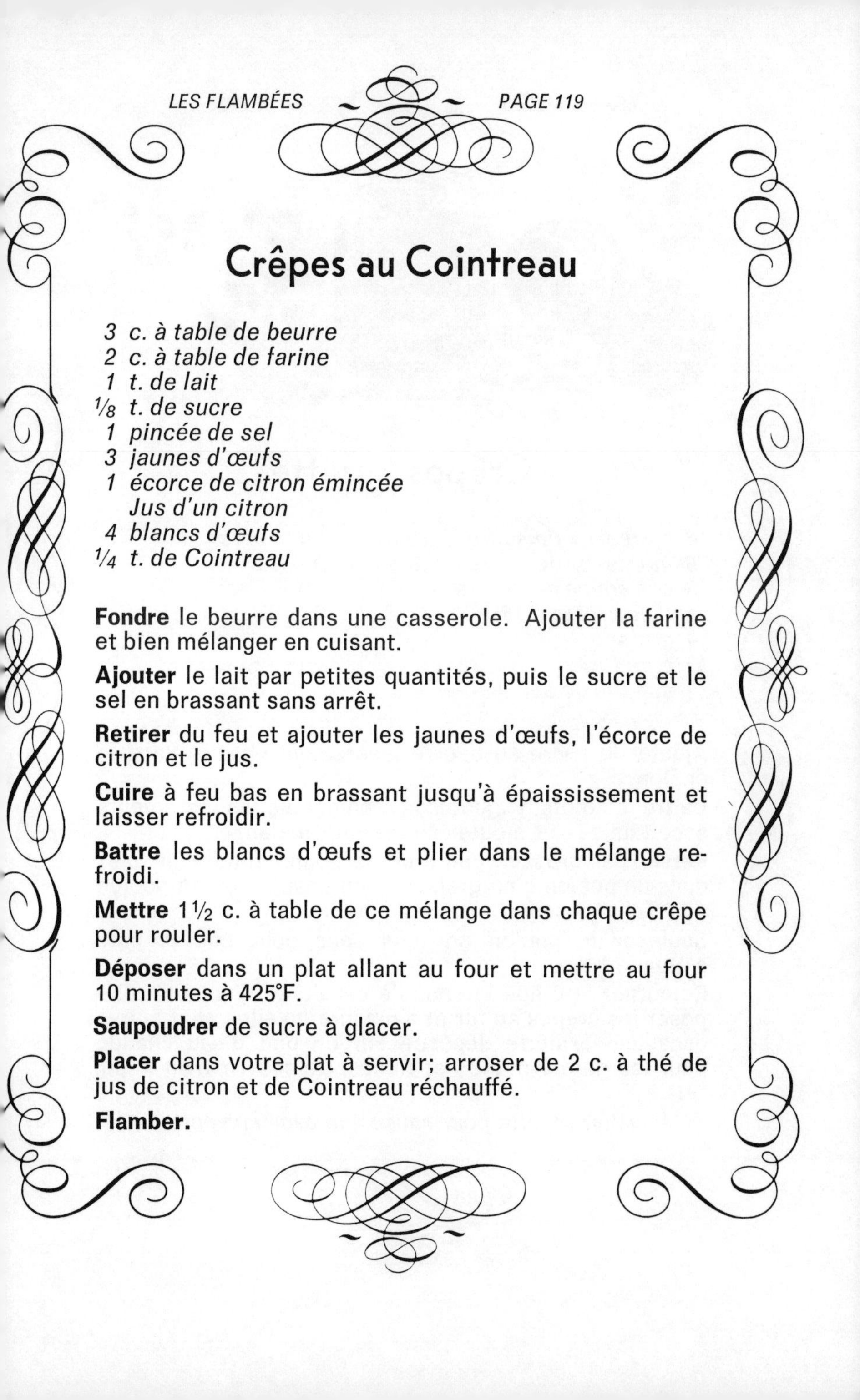

Crêpes au Cointreau

3 c. à table de beurre
2 c. à table de farine
1 t. de lait
1/8 t. de sucre
1 pincée de sel
3 jaunes d'œufs
1 écorce de citron émincée
Jus d'un citron
4 blancs d'œufs
1/4 t. de Cointreau

Fondre le beurre dans une casserole. Ajouter la farine et bien mélanger en cuisant.

Ajouter le lait par petites quantités, puis le sucre et le sel en brassant sans arrêt.

Retirer du feu et ajouter les jaunes d'œufs, l'écorce de citron et le jus.

Cuire à feu bas en brassant jusqu'à épaississement et laisser refroidir.

Battre les blancs d'œufs et plier dans le mélange refroidi.

Mettre 1 1/2 c. à table de ce mélange dans chaque crêpe pour rouler.

Déposer dans un plat allant au four et mettre au four 10 minutes à 425°F.

Saupoudrer de sucre à glacer.

Placer dans votre plat à servir; arroser de 2 c. à thé de jus de citron et de Cointreau réchauffé.

Flamber.

Crêpes Suzette

6 morceaux de sucre frottés sur une orange
6 morceaux de sucre frottés sur un citron
3 c. à soupe de beurre
1 t. de crème à 15%
4 œufs
1/2 t. de farine
1/4 c. à thé de sel

Ajouter le sucre au beurre légèrement chauffé dans le poêlon.

Battre les œufs, y ajouter la crème, puis les ingrédients secs tamisés et ajouter au premier mélange.

Verser par grosses cuillerées à soupe (une à la fois) dans un poêlon bien graissé, bien chauffé, ou un poêlon en « Teflon » sans y mettre de gras.

Soulever le poêlon en tous sens pour que la pâte s'étende bien.

Retourner la crêpe lorsqu'elle est dorée d'un côté. Déposer les crêpes au fur et à mesure qu'elles sont cuites dans une assiette déposée sur un plat d'eau chaude pour les garder molles et tièdes. Recouvrir d'un linge.

(Voir recette pour sauce à la page suivante)

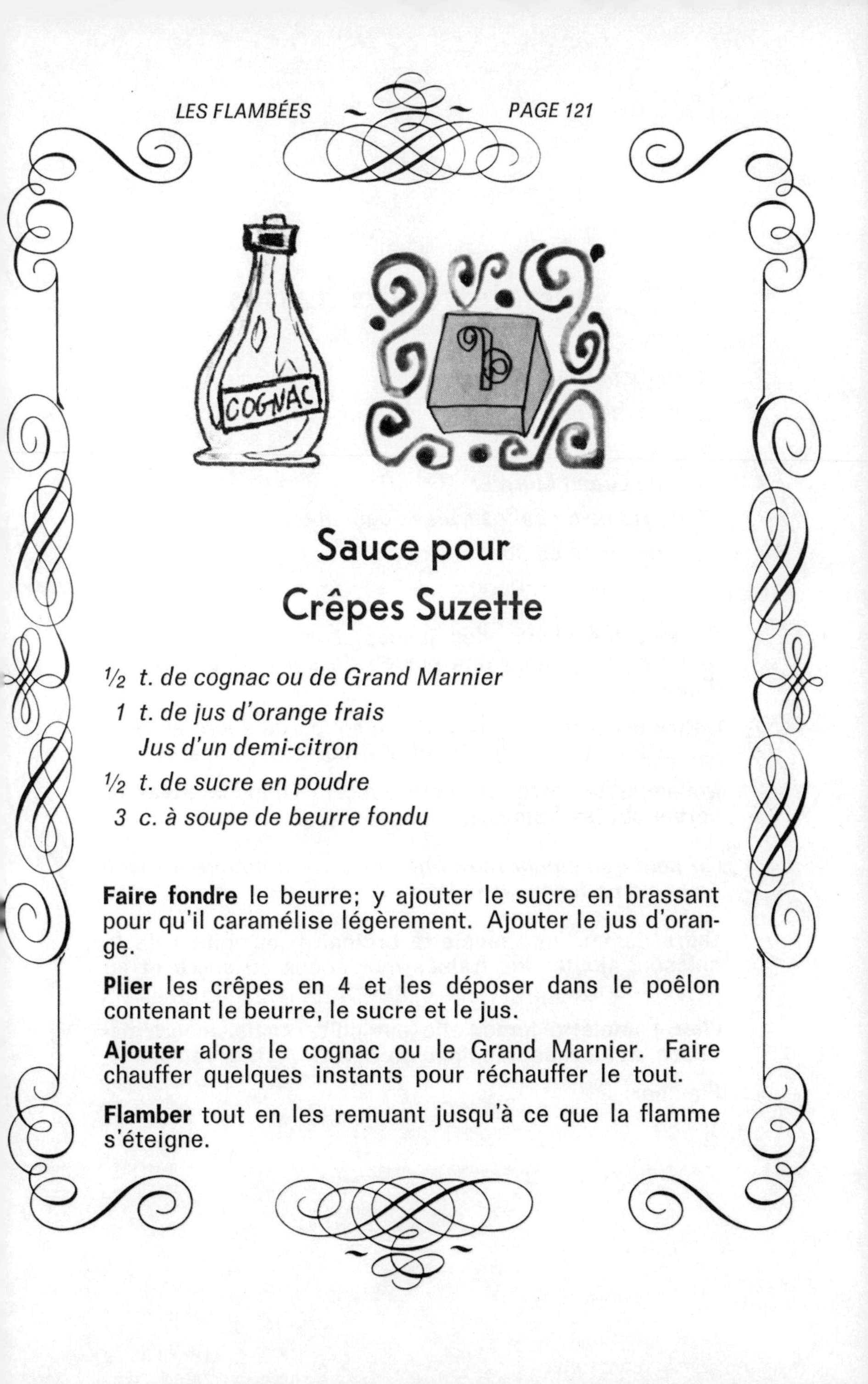

Sauce pour Crêpes Suzette

½ t. de cognac ou de Grand Marnier
1 t. de jus d'orange frais
Jus d'un demi-citron
½ t. de sucre en poudre
3 c. à soupe de beurre fondu

Faire fondre le beurre; y ajouter le sucre en brassant pour qu'il caramélise légèrement. Ajouter le jus d'orange.

Plier les crêpes en 4 et les déposer dans le poêlon contenant le beurre, le sucre et le jus.

Ajouter alors le cognac ou le Grand Marnier. Faire chauffer quelques instants pour réchauffer le tout.

Flamber tout en les remuant jusqu'à ce que la flamme s'éteigne.

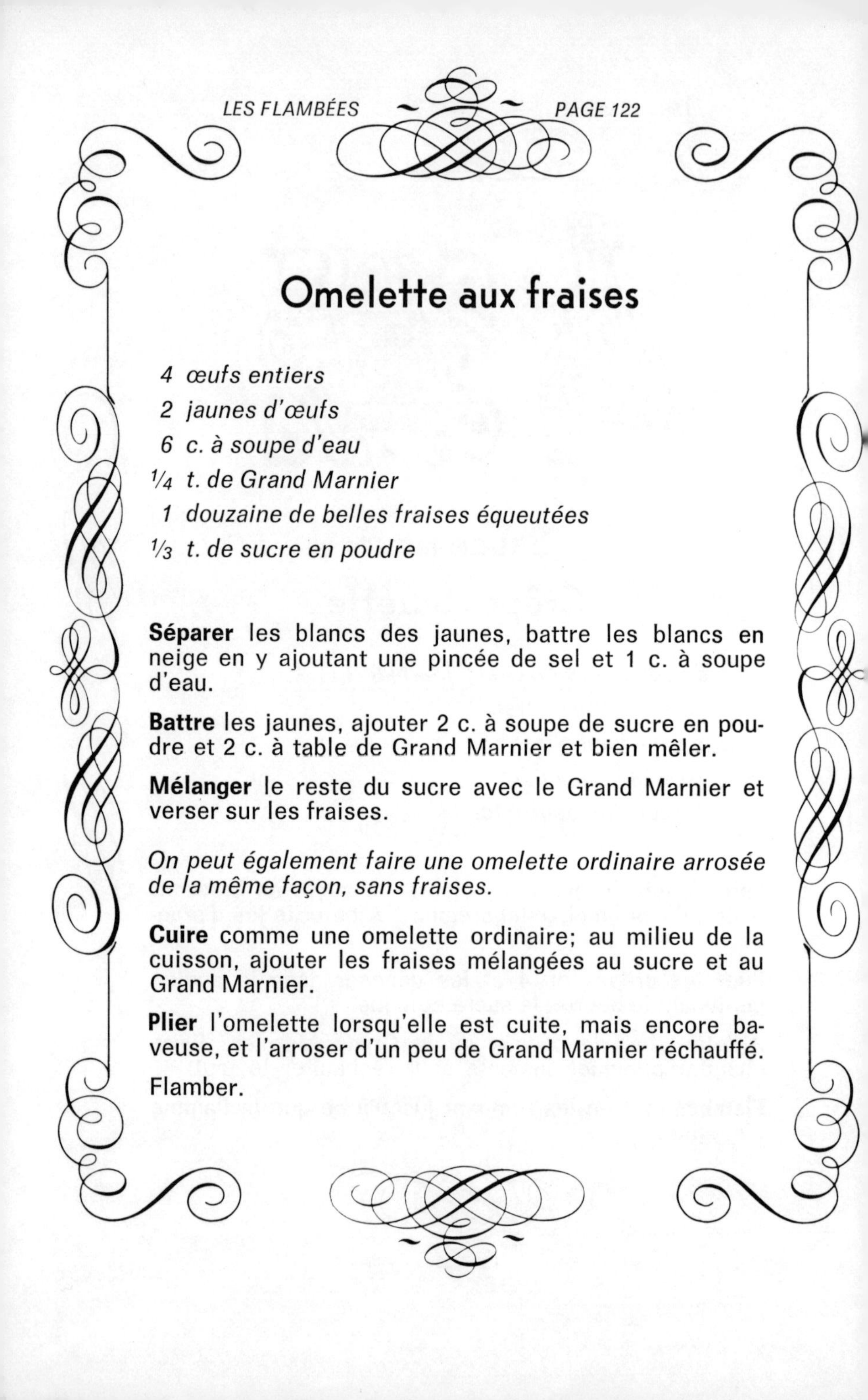

Omelette aux fraises

4 œufs entiers
2 jaunes d'œufs
6 c. à soupe d'eau
1/4 t. de Grand Marnier
1 douzaine de belles fraises équeutées
1/3 t. de sucre en poudre

Séparer les blancs des jaunes, battre les blancs en neige en y ajoutant une pincée de sel et 1 c. à soupe d'eau.

Battre les jaunes, ajouter 2 c. à soupe de sucre en poudre et 2 c. à table de Grand Marnier et bien mêler.

Mélanger le reste du sucre avec le Grand Marnier et verser sur les fraises.

On peut également faire une omelette ordinaire arrosée de la même façon, sans fraises.

Cuire comme une omelette ordinaire; au milieu de la cuisson, ajouter les fraises mélangées au sucre et au Grand Marnier.

Plier l'omelette lorsqu'elle est cuite, mais encore baveuse, et l'arroser d'un peu de Grand Marnier réchauffé.

Flamber.

Punch au vin chaud

1 bouteille de vin rouge

1 t. de thé

1/4 t. de jus d'orange

2 c. à soupe de jus de citron

1/2 c. à thé de cannelle

Chauffer le mélange à feu bas jusqu'à ce qu'il blanchisse et commence à fumer.

Flamber et verser chaud dans les tasses.

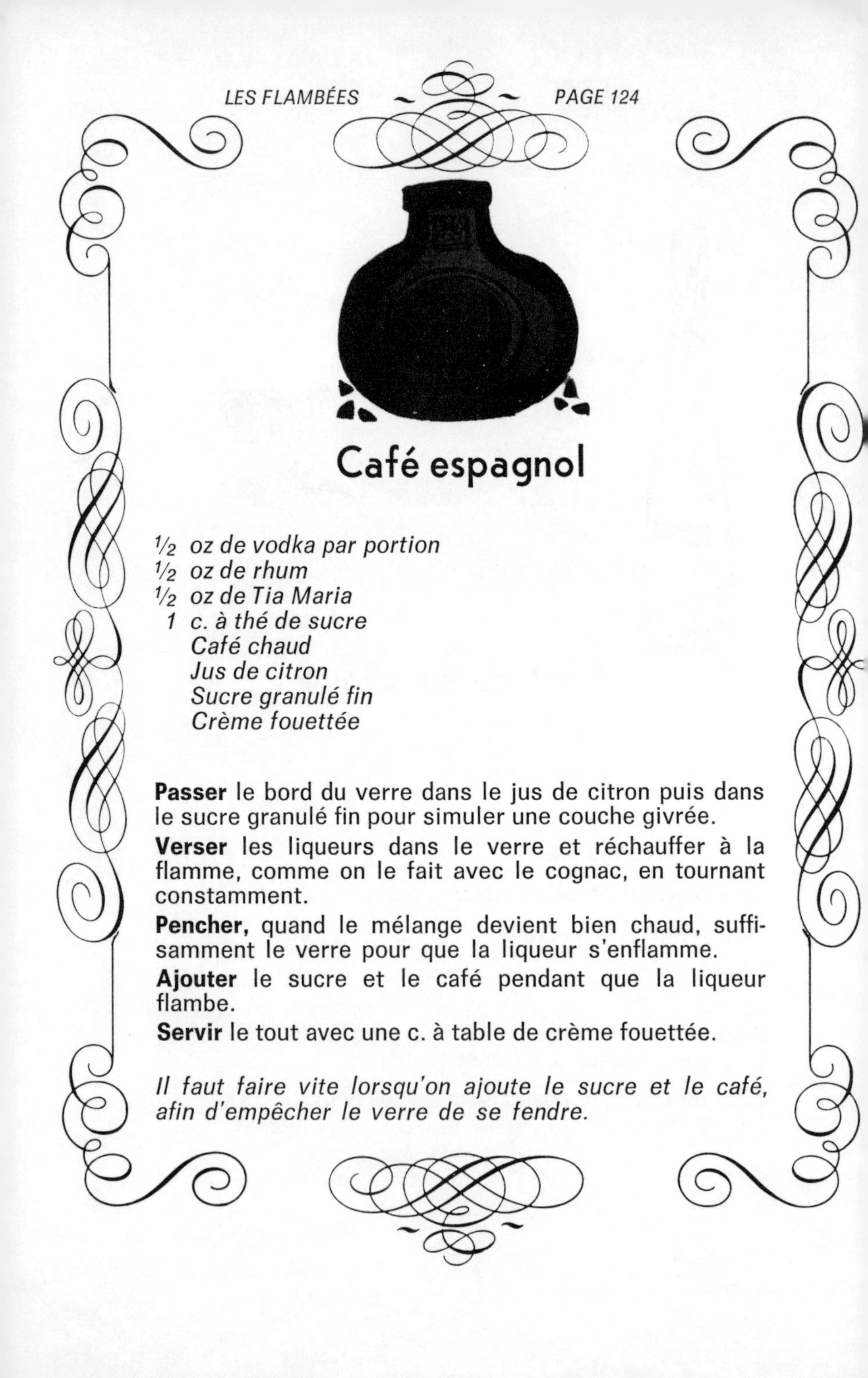

Café espagnol

½ oz de vodka par portion
½ oz de rhum
½ oz de Tia Maria
1 c. à thé de sucre
Café chaud
Jus de citron
Sucre granulé fin
Crème fouettée

Passer le bord du verre dans le jus de citron puis dans le sucre granulé fin pour simuler une couche givrée.

Verser les liqueurs dans le verre et réchauffer à la flamme, comme on le fait avec le cognac, en tournant constamment.

Pencher, quand le mélange devient bien chaud, suffisamment le verre pour que la liqueur s'enflamme.

Ajouter le sucre et le café pendant que la liqueur flambe.

Servir le tout avec une c. à table de crème fouettée.

Il faut faire vite lorsqu'on ajoute le sucre et le café, afin d'empêcher le verre de se fendre.

Café flambé

6 morceaux de sucre
8 clous de girofle
1 morceau de un po. de bâton de cannelle
4 « jiggers » de cognac ou de brandy
1 demiard de café chaud

Placer tous les ingrédients, sauf le café, sur un réchaud de table.

Réchauffer le cognac, l'ajouter dans la casserole et flamber.

Ajouter le café et le verser dans des demi-tasses.

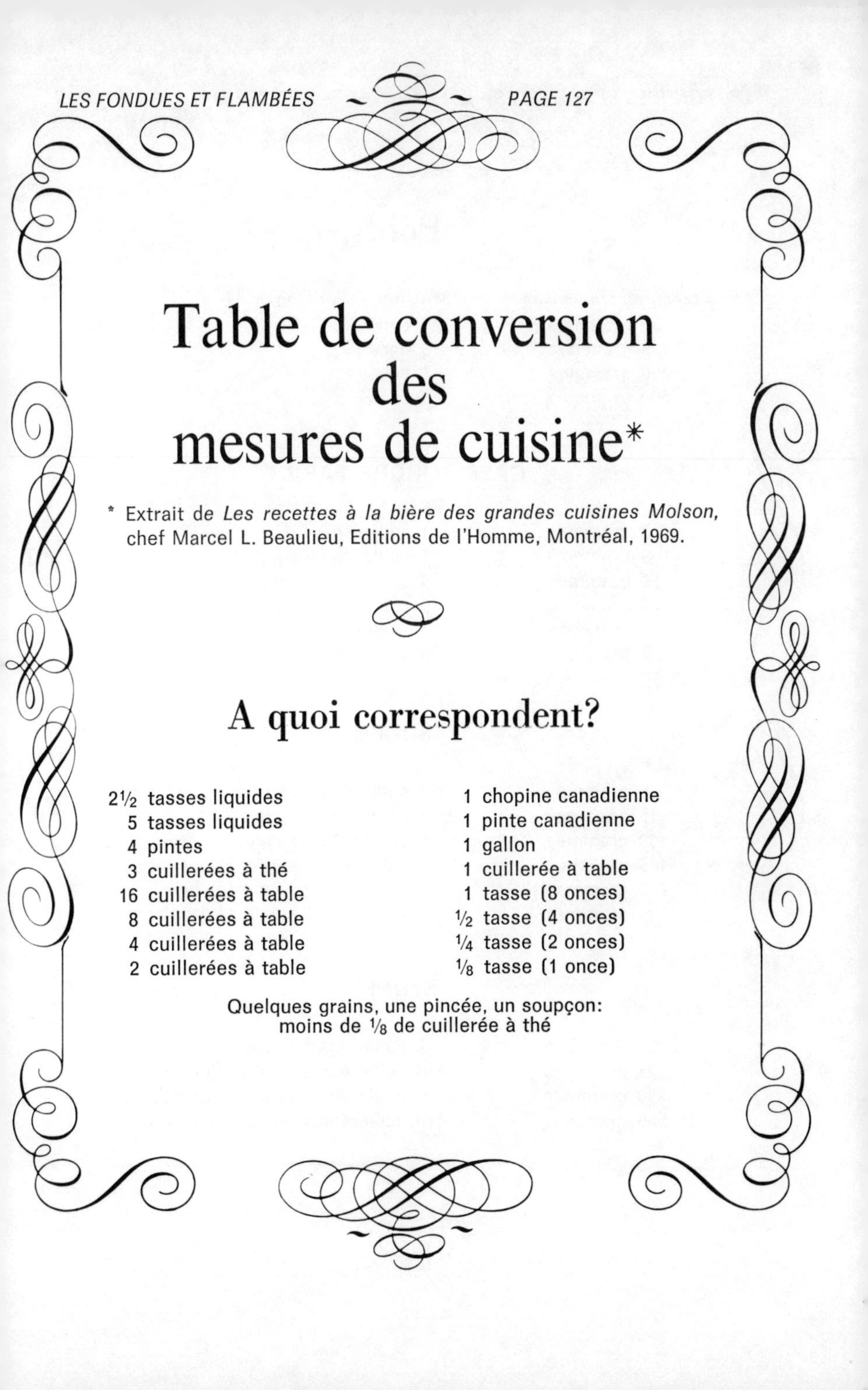

Table de conversion des mesures de cuisine*

* Extrait de *Les recettes à la bière des grandes cuisines Molson*, chef Marcel L. Beaulieu, Editions de l'Homme, Montréal, 1969.

A quoi correspondent?

2½ tasses liquides	1 chopine canadienne
5 tasses liquides	1 pinte canadienne
4 pintes	1 gallon
3 cuillerées à thé	1 cuillerée à table
16 cuillerées à table	1 tasse (8 onces)
8 cuillerées à table	½ tasse (4 onces)
4 cuillerées à table	¼ tasse (2 onces)
2 cuillerées à table	⅛ tasse (1 once)

Quelques grains, une pincée, un soupçon:
moins de ⅛ de cuillerée à thé

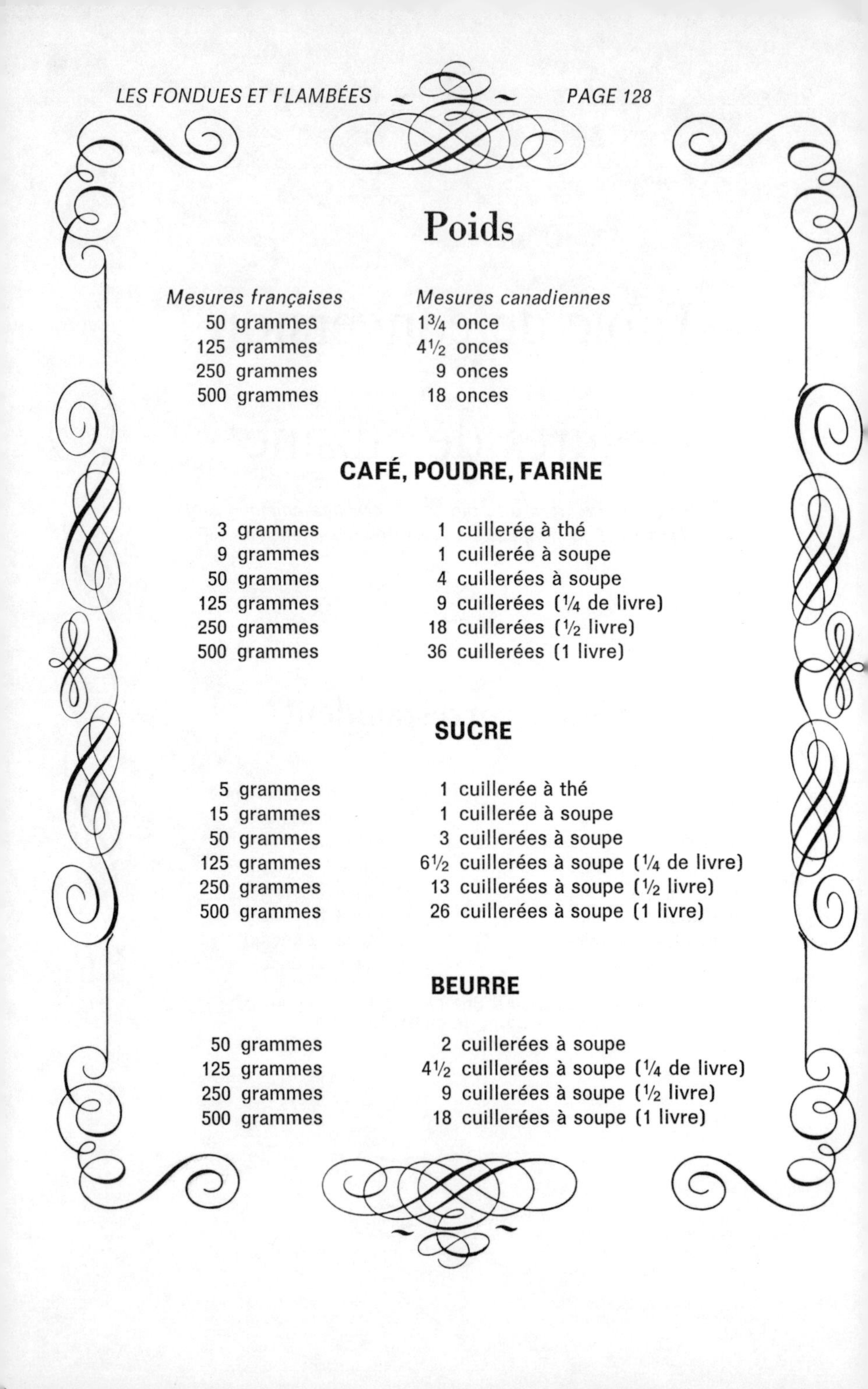

Poids

Mesures françaises	*Mesures canadiennes*
50 grammes	1¾ once
125 grammes	4½ onces
250 grammes	9 onces
500 grammes	18 onces

CAFÉ, POUDRE, FARINE

3 grammes	1 cuillerée à thé
9 grammes	1 cuillerée à soupe
50 grammes	4 cuillerées à soupe
125 grammes	9 cuillerées (¼ de livre)
250 grammes	18 cuillerées (½ livre)
500 grammes	36 cuillerées (1 livre)

SUCRE

5 grammes	1 cuillerée à thé
15 grammes	1 cuillerée à soupe
50 grammes	3 cuillerées à soupe
125 grammes	6½ cuillerées à soupe (¼ de livre)
250 grammes	13 cuillerées à soupe (½ livre)
500 grammes	26 cuillerées à soupe (1 livre)

BEURRE

50 grammes	2 cuillerées à soupe
125 grammes	4½ cuillerées à soupe (¼ de livre)
250 grammes	9 cuillerées à soupe (½ livre)
500 grammes	18 cuillerées à soupe (1 livre)

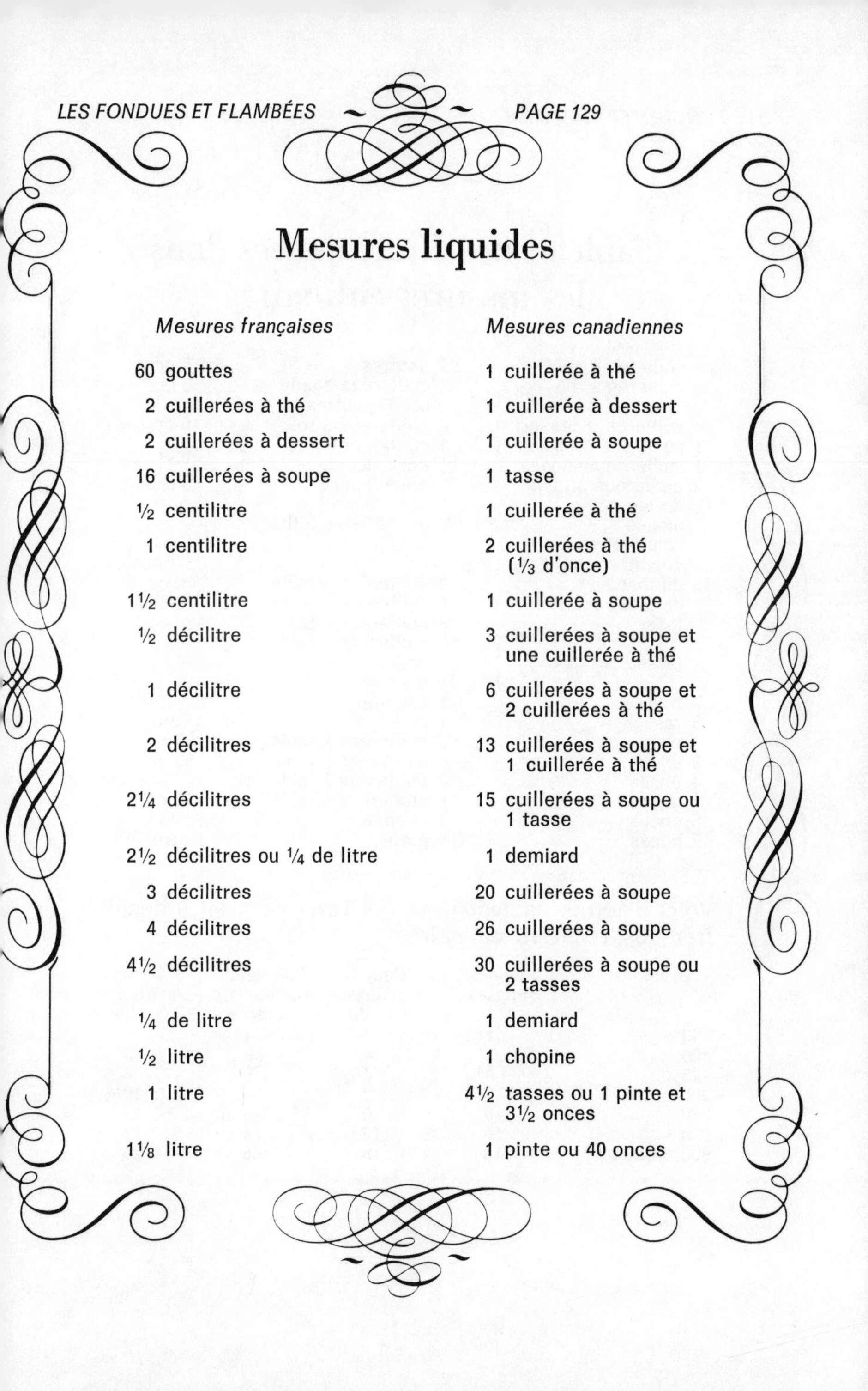

Mesures liquides

Mesures françaises	*Mesures canadiennes*
60 gouttes	1 cuillerée à thé
2 cuillerées à thé	1 cuillerée à dessert
2 cuillerées à dessert	1 cuillerée à soupe
16 cuillerées à soupe	1 tasse
1/2 centilitre	1 cuillerée à thé
1 centilitre	2 cuillerées à thé (1/3 d'once)
1 1/2 centilitre	1 cuillerée à soupe
1/2 décilitre	3 cuillerées à soupe et une cuillerée à thé
1 décilitre	6 cuillerées à soupe et 2 cuillerées à thé
2 décilitres	13 cuillerées à soupe et 1 cuillerée à thé
2 1/4 décilitres	15 cuillerées à soupe ou 1 tasse
2 1/2 décilitres ou 1/4 de litre	1 demiard
3 décilitres	20 cuillerées à soupe
4 décilitres	26 cuillerées à soupe
4 1/2 décilitres	30 cuillerées à soupe ou 2 tasses
1/4 de litre	1 demiard
1/2 litre	1 chopine
1 litre	4 1/2 tasses ou 1 pinte et 3 1/2 onces
1 1/8 litre	1 pinte ou 40 onces

Tableau des équivalences dans les mesures culinaires

1 cuillerée à café	30 gouttes	2.5 cc.
1 cuillerée à thé	2 cuillerées à café ou 60 gouttes	5 cc.
1 cuillerée à dessert	2 cuillerées à thé	10 cc.
1 cuillerée à table	3 cuillerées à thé	15 cc.
1 cuillerée à soupe	½ once liquide	
2 cuillerées à table	1 once liquide	30 cc.
¼ de tasse	1 verre à vin	2 onces
1 pincée	⅛ de cuillerée à thé	
1 centimètre cube	1 millilitre	1/30 d'once
1 décilitre		3.5 onces
⅛ de tasse	2 cuillerées à table	30 cc.
¼ de tasse	4 cuillerées à table	60 cc.
½ tasse	8 cuillerées à table	120 cc.
1 tasse	16 cuillerées à table 8 onces ½ chopine	240 cc.
2 tasses	1 chopine	0.560 litre
5 tasses	1 pinte	1 litre 14
1 once	2 cuillerées à table	30 cc.
2 onces	4 cuillerées à table	60 cc.
4 onces	8 cuillerées à table	120 cc.
8 onces	16 cuillerées à table	240 cc.
16 onces	1 chopine	0.568 litre
40 onces	1 pinte	1 litre 14

Voici d'autres équivalences qui vous aideront à déchiffrer vos recettes culinaires:

Grammes	*Onces (approx.)*	*Beurre cuillerées à table*	*Farine cuillerées à table*	*Sucre cuillerées à table*
50	1¾	2	4	3
100	3½	4	8	6
125	4¼	4½	9	6½
200	7	7	14	10½
250	9	9	18	13
300	10	12	24	18
500 (1 livre)	18	18	36	26

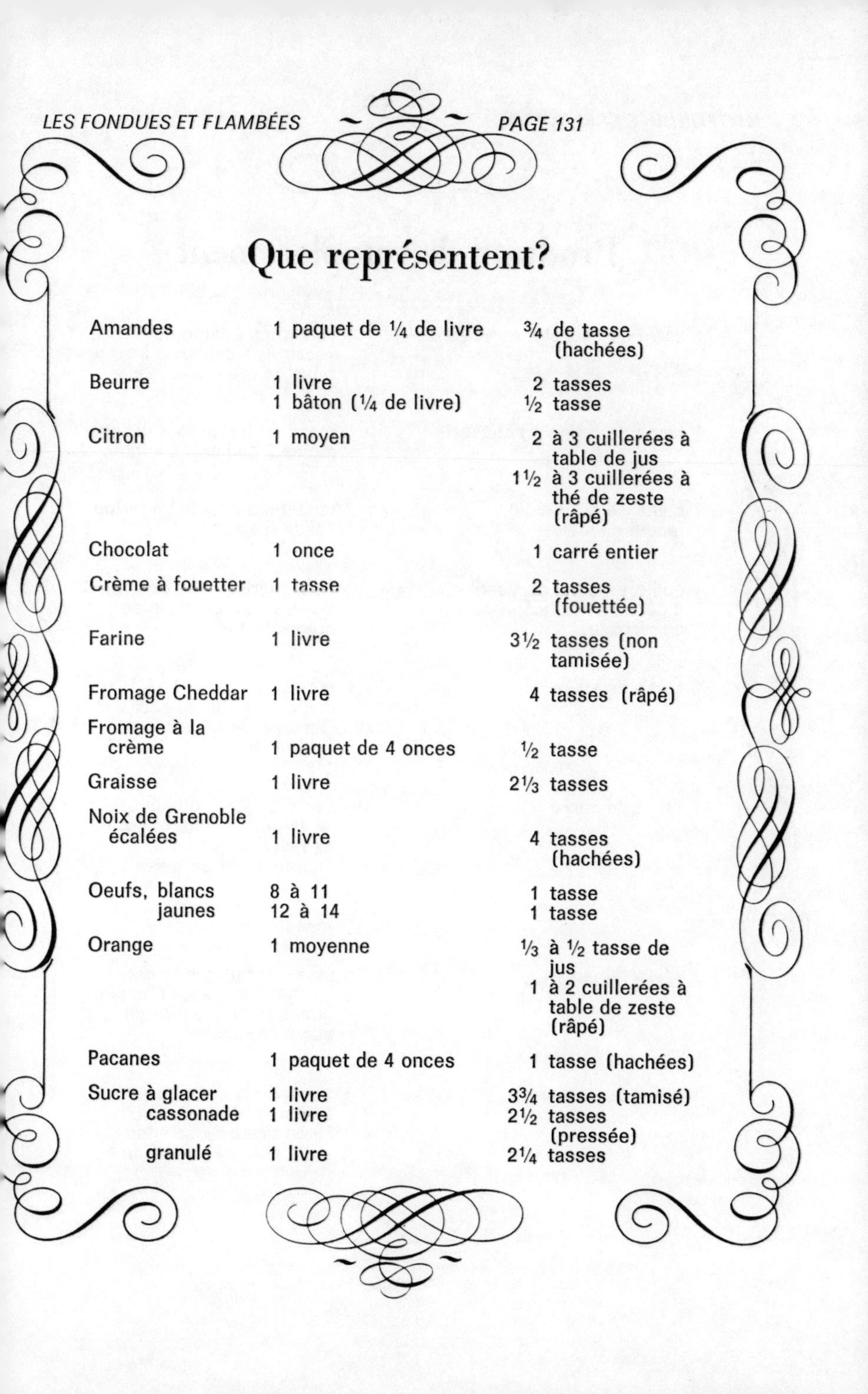

Que représentent?

Amandes	1 paquet de 1/4 de livre	3/4 de tasse (hachées)
Beurre	1 livre 1 bâton (1/4 de livre)	2 tasses 1/2 tasse
Citron	1 moyen	2 à 3 cuillerées à table de jus 1 1/2 à 3 cuillerées à thé de zeste (râpé)
Chocolat	1 once	1 carré entier
Crème à fouetter	1 tasse	2 tasses (fouettée)
Farine	1 livre	3 1/2 tasses (non tamisée)
Fromage Cheddar	1 livre	4 tasses (râpé)
Fromage à la crème	1 paquet de 4 onces	1/2 tasse
Graisse	1 livre	2 1/3 tasses
Noix de Grenoble écalées	1 livre	4 tasses (hachées)
Oeufs, blancs jaunes	8 à 11 12 à 14	1 tasse 1 tasse
Orange	1 moyenne	1/3 à 1/2 tasse de jus 1 à 2 cuillerées à table de zeste (râpé)
Pacanes	1 paquet de 4 onces	1 tasse (hachées)
Sucre à glacer cassonade granulé	1 livre 1 livre 1 livre	3 3/4 tasses (tamisé) 2 1/2 tasses (pressée) 2 1/4 tasses

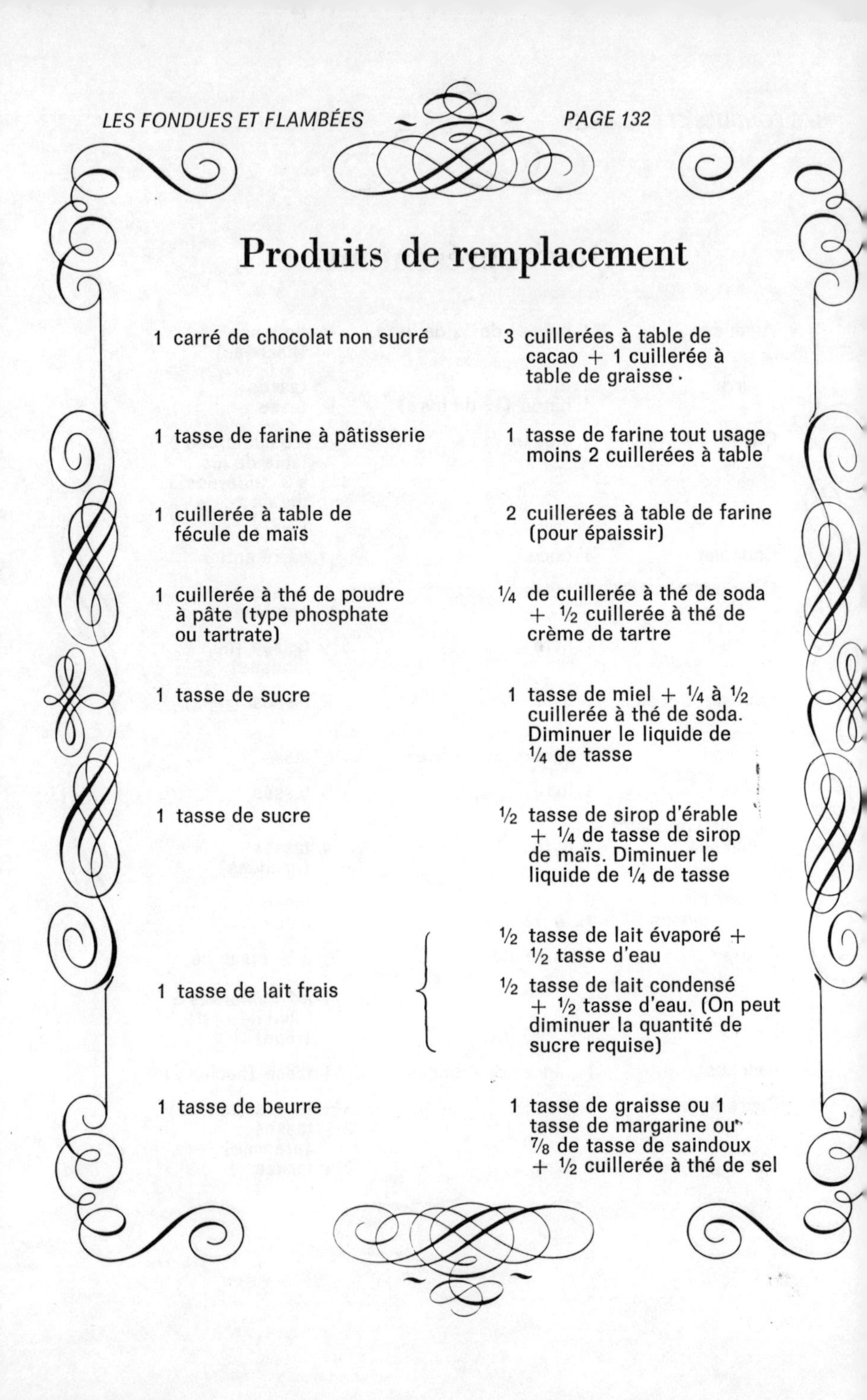

Produits de remplacement

1 carré de chocolat non sucré	3 cuillerées à table de cacao + 1 cuillerée à table de graisse
1 tasse de farine à pâtisserie	1 tasse de farine tout usage moins 2 cuillerées à table
1 cuillerée à table de fécule de maïs	2 cuillerées à table de farine (pour épaissir)
1 cuillerée à thé de poudre à pâte (type phosphate ou tartrate)	1/4 de cuillerée à thé de soda + 1/2 cuillerée à thé de crème de tartre
1 tasse de sucre	1 tasse de miel + 1/4 à 1/2 cuillerée à thé de soda. Diminuer le liquide de 1/4 de tasse
1 tasse de sucre	1/2 tasse de sirop d'érable + 1/4 de tasse de sirop de maïs. Diminuer le liquide de 1/4 de tasse
1 tasse de lait frais	1/2 tasse de lait évaporé + 1/2 tasse d'eau
	1/2 tasse de lait condensé + 1/2 tasse d'eau. (On peut diminuer la quantité de sucre requise)
1 tasse de beurre	1 tasse de graisse ou 1 tasse de margarine ou 7/8 de tasse de saindoux + 1/2 cuillerée à thé de sel

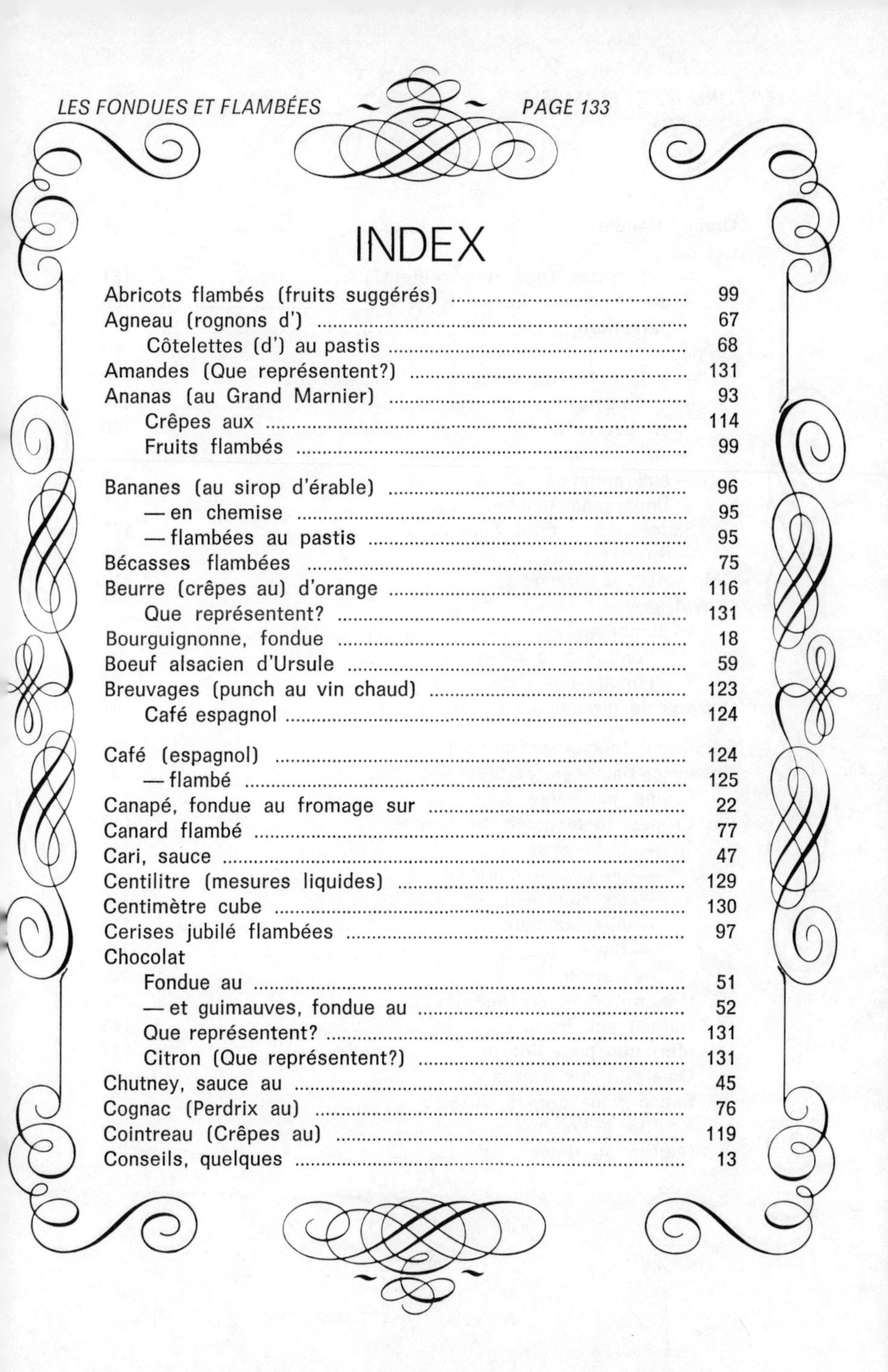

INDEX

Pour Tous Les Gourmets!

Les ouvrages qui suivent complèteront agréablement votre collection de livres sur l'art culinaire et la gastronomie . . . (également disponibles aux Editions de l'Homme).

LES RECETTES DE MAMAN

Suzanne Lapointe

Tout le monde connaît Suzanne Lapointe. Tout le monde sait aussi qu'elle est l'un des meilleurs cordons bleus parmi nos comédiennes gastronomes. Des recettes succulentes attendues par plus de 150,000 Québécoises!

2.00

LES SOUPES

Claire Marécat

90 recettes inédites par Claire Marécat, un cordon bleu qui a bien l'intention de nous faire abandonner les soupes en boîtes et en sachets pour notre délectation et l'acquisition d'une meilleure santé. 2.00

(Collection Femme)

EN CUISINANT DE 5 À 6

Juliette Huot

Miss Radio TV 69, bien connue comme comédienne, nous surprend avec des recettes inédites et succulentes.

138 pages, 2.00

CUISINE FRANÇAISE POUR CANADIENS

Rose Montigny

La cuisine française à la portée de tout le monde. Termes, mesures et produits de chez nous. Le premier livre du genre au Canada.

300 pages, 3.00

LA CUISINE CANADIENNE À LA FARINE ROBIN HOOD

Les meilleures recettes à la farine des grandes cuisines Robin Hood.

Pains, biscuits, desserts, etc. Abondamment illustré — Superbes photos en couleurs. Une aubaine incroyable pour le prix !

220 pages, 2.00

RÉGIMES POUR MAIGRIR

Marie-José Beaudoin

Nombreuses recettes infaillibles pour maigrir. Hydrates de carbone — Calories — Buvez et mangez tout votre saoul et maigrissez!

237 pages, 2.50

MADAME REÇOIT

Hélène Durand-LaRoche

40 menus et 365 recettes y sont présentés dans une langue claire et facile à comprendre. Menus équilibrés au point de vue nutritif et décoratif pour toutes les occasions de la vie.

224 pages, 2.50

LES RECETTES À LA BIÈRE DES GRANDES CUISINES MOLSON

Créations du chef Marcel L. Beaulieu

Plus de 70 recettes originales. Une cuisine saine, économique, facile à faire. Illustré.

128 pages, *2.00*

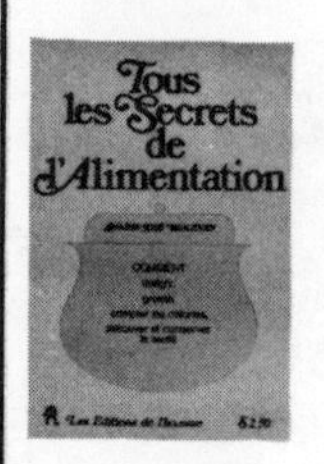

TOUS LES SECRETS DE L'ALIMENTATION

Marie-José Beaudoin

Comment maigrir, comment prendre du poids, comment compter les calories, les régimes, les diabètes, etc. Le livre le plus complet sur la nutrition.

228 pages, *2.5*

ALIMENTATION

CUISINE (LA) EN PLEIN AIR

Hélène Doucet Leduc, dipl. de l'Institut de Diététique et de Nutrition de l'Université de Montréal

Comment et quoi faire à manger lorsque le soleil vous invite à cuisiner en plein air.

96 pages, ***1.50***

GRANDS (LES) CHEFS DE MONTRÉAL ET LEURS RECETTES

Armel Robitaille, chevalier du Tastevin

Un guide des meilleurs restaurants de Montréal et de la région. Contient également 121 recettes que l'on peut préparer dans sa cuisine.

128 pages, 1967. *1.50*

VINS, COCKTAILS, SPIRITUEUX

Gilles Cloutier

Comment servir les vins en mangeant. Comment choisir les vins. Comment préparer les cocktails avec goût. Nombreuses recettes. Quels verres utiliser. Véritable savoir-vivre.

94 pages, 1967. *1.50*

MANGEZ BIEN ET RAJEUNISSEZ

Raymond Barbeau

Un ouvrage simple et complet Enseigne comment se nourrir pour mieux se porter. La lecture de ce livre est déjà un stimulant!

128 pages, *2.00*

LA CUISINE CHINOISE

Lizette Gervais

Un livre unique, que la Québécoise devrait avoir. Votre famille sera la première à être ravie de la cuisine chinoise que vous propose Lizette Gervais, d'autant plus que les mets suggérés peuvent se préparer avec des ingrédients disponibles partout.

128 pages *$2.00*

FONDUES ET FLAMBÉES DE MAMAN LAPOINTE

Suzanne Lapointe

C'est à la suite de sondages poussés, entrepris par les Éditions de l'Homme, que Suzanne Lapointe fut en mesure de classer les plus populaires recettes de fondues et flambées de sa maman, Madame Lucette Lapointe, pour en faire un recueil inédit.

128 pages *$2.00*

Achevé d'imprimer sur les presses de
L'IMPRIMERIE ELECTRA
pour
LES ÉDITIONS DE L'HOMME

1546

Ouvrages parus chez les Éditeurs du groupe Sogides

Ouvrages parus aux ÉDITIONS DE L'HOMME

ART CULINAIRE

Art de vivre en bonne santé (L'), Dr W. Leblond, **3.00**
Boîte à lunch (La), L.-Lagacé, **3.00**
101 omelettes, M. Claude, **2.00**
Choisir ses vins, P. Petel, **2.00**
Cocktails de Jacques Normand (Les), J. Normand, **2.00**
Congélation (La), S. Lapointe, **2.00**
Cuisine avec la farine Robin Hood (La), Robin Hood, **2.00**
Cuisine chinoise (La), L. Gervais, **2.00**
Cuisine de Maman Lapointe (La), S. Lapointe, **2.00**
Cuisine des 4 saisons (La), Mme Hélène Durand-LaRoche, **3.00**
Cuisine française pour Canadiens, R. Montigny, **3.00**
Cuisine en plein air, H. Doucet, **2.00**
Cuisine italienne (La), Di Tomasso, **2.00**
Diététique dans la vie quotidienne, L. Lagacé, **3.00**
En cuisinant de 5 à 6, J. Huot, **2.00**
Fondues et flambées, S. Lapointe, **2.00**
Grands chefs de Montréal (Les), A. Robitaille, **1.50**
Hors-d'oeuvre, salades et buffets froids, L. Dubois, **2.00**
Madame reçoit, H.D. LaRoche, **2.50**
Mangez bien et rajeunissez, R. Barbeau, **3.00**
Recettes à la bière des grandes cuisines Molson, M.L. Beaulieu, **2.00**
Recettes au "blender", J. Huot, **3.00**
Recettes de Maman Lapointe, S. Lapointe, **2.00**
Recettes de gibier, S. Lapointe, **3.00**
Régimes pour maigrir, M.J. Beaudoin, **2.50**
Soupes (Les), C. Marécat, **2.00**
Tous les secrets de l'alimentation, M.J. Beaudoin, **2.50**
Vin (Le), P. Petel, **3.00**
Vins, cocktails et spiritueux, G. Cloutier, **2.00**
Vos vedettes et leurs recettes, G. Dufour et G. Poirier, **3.00**
Y'a du soleil dans votre assiette, Georget-Berval-Gignac, **3.00**

DOCUMENTS, BIOGRAPHIE

Acadiens (Les), E. Leblanc, **2.00**
Bien-pensants (Les), P. Berton, **2.50**
Blow up des grands de la chanson, M. Maill, **3.00**
Bourassa-Québec, R. Bourassa, **1.00**
Camillien Houde, H. Larocque, **1.00**
Canadians et nous (Les), J. De Roussan, **1.00**
Ce combat qui n'en finit plus, A. Stanké,-J.L. Morgan, **3.00**
Charlebois, qui es-tu?, B. L'Herbier, **3.00**
Chroniques vécues des modestes origines d'une élite urbaine, H. Grenon, **3.50**

Conquête de l'espace (La), J. Lebrun, **5.00**

Des hommes qui bâtissent le Québec, collaboration, **3.00**

Deux innocents en Chine rouge, P.E. Trudeau, J. Hébert, **2.00**

Drapeau canadien (Le), L.A. Biron, **1.00**

Drogues, J. Durocher, **2.00**

Egalité ou indépendance, D. Johnson, **2.00**

Epaves du Saint-Laurent (Les), J. Lafrance, **3.00**

Etat du Québec (L'), collaboration, **1.00**

Félix Leclerc, J.P. Sylvain, **2.00**

Fabuleux Onassis (Le), C. Cafarakis, **3.00**

Fête au village, P. Legendre, **2.00**

FLQ 70: Offensive d'automne, J.C. Trait, **3.00**

France des Canadiens (La), R. Hollier, **1.50**

Greffes du coeur (Les), collaboration, **2.00**

Hippies (Les), Time-coll., **3.00**

Imprévisible M. Houde (L'), C. Renaud, **2.00**

Insolences du Frère Untel, F. Untel, **1.50**

J'aime encore mieux le jus de betteraves, A. Stanké, **2.50**

Juliette Béliveau, D. Martineau, **3.00**

La Bolduc, R. Benoit, **1.50**

Lamia, P.T. De Vosjoli, **5.00**

L'Ermite, L. Rampa, **3.00**

Mammifères de mon pays, Duchesnay-Dumais, **2.00**

Masques et visages du spiritualisme contemporain, J. Evola, **5.00**

Médecine d'aujourd'hui, Me A. Flamand, **1.00**

Médecine est malade, Dr L. Joubert, **1.00**

Médecins, l'Etat et vous! Dr R. Robitaille, **2.00**

Michèle Richard raconte Michèle Richard, M. Richard, **2.50**

Mozart, raconté en 50 chefs-d'oeuvre, P. Roussel, **5.00**

Nationalisation de l'électricité (La), P. Sauriol, **1.00**

Napoléon vu par Guillemin, H. Guillemin, **2.50**

On veut savoir, (4 t.), L. Trépanier, **1.00 ch.**

Option Québec, R. Lévesque, **2.00**

Poissons du Québec, Juschereau-Duchesnay, **1.00**

Pour entretenir la flamme, L. Rampa, **3.00**

Pour une radio civilisée, G. Proulx, **2.00**

Prague, l'été des tanks, collaboration, **3.00**

Premiers sur la lune, Armstrong-Aldrin-Collins, **6.00**

Prisonniers à l'Oflag 79, P. Vallée, **1.00**

Prostitution à Montréal (La), T. Limoges, **1.50**

Québec 1800, W.H. Bartlett, **15.00**

Rage des goof-balls, A. Stanké-M.J. Beaudoin, **1.00**

Regards sur l'Expo, R. Grenier, **1.50**

Rescapée de l'enfer nazi, R. Charrier, **1.50**

Révolte contre le monde moderne, J. Evola, **6.00**

Riopelle, G. Robert, **3.50**

Scandale à Bordeaux, J. Hébert, **1.00**

Scandale des écoles séparées en Ontario, J. Costicella, **1.00**

Taxidermie, J. Labrie, **2.00**

Terrorisme québécois (Le), Dr G. Morf, **3.00**

Ti-blanc, mouton noir, R. Laplante, **2.00**

Treizième chandelle, L. Rampa, **3.00**

Trois vies de Pearson (Les), Poliquin-Beal, **3.00**

Trudeau, le paradoxe, A. Westell, **5.00**

Une culture appelée québécoise, G. Turi, **2.00**

Une femme face à la Confédération, M.B. Fontaine, **1.50**

Un peuple oui, une peuplade jamais! J. Lévesque, **3.00**

Un Yankee au Canada, A. Thério, **1.00**

Vizzini, S. Vizzini, **5.00**

Vrai visage de Duplessis (Le), P. Laporte, **2.00**

ENCYCLOPEDIES

Encyclopédie de la maison québécoise, Lessard et Marquis, **6.00**

Encyclopédie des antiquités du Québec, Lessard et Marquis, **6.00**

Encyclopédie des oiseaux du Québec, W. Earl Godfrey, **6.00**

Encyclopédie du jardinier horticulteur, W.H. Perron, **6.00**

Encyclopédie du Québec, Vol. I et Vol. II, L. Landry, **6.00 ch.**

ESTHETIQUE ET VIE MODERNE

Cellulite (La), Dr G.J. Léonard, **3.00**
Charme féminin (Le), D.M. Parisien, **2.00**
Chirurgie plastique et esthétique, Dr A. Genest, **2.00**
Embellissez votre corps, J. Ghedin, **1.50**
Embellissez votre visage, J. Ghedin, **1.50**
Etiquette du mariage, Fortin-Jacques, Farley, **2.50**
Exercices pour rester jeune, T. Sekely, **3.00**
Femme après 30 ans, N. Germain, **2.50**
Femme émancipée (La), N. Germain et L. Desjardins, **2.00**
Leçons de beauté, E. Serei, **1.50**
Savoir se maquiller, J. Ghedin, **1.50**
Savoir-vivre, N. Germain, **2.50**
Savoir-vivre d'aujourd'hui (Le), M.F. Jacques, **2.00**
Sein (Le), collaboration, **2.50**
Soignez votre personnalité, messieurs, E. Serei, **2.00**
Vos cheveux, J. Ghedin, **2.50**
Vos dents, Archambault-Déom, **2.00**

LINGUISTIQUE

Améliorez votre français, J. Laurin, **2.50**
Anglais par la méthode choc (L'), J.L. Morgan, **2.00**
Dictionnaire en 5 langues, L. Stanké, **2.00**
Mirovox, H. Bergeron, **1.00**
Petit dictionnaire du joual au français, A. Turenne, **2.00**
Savoir parler, R.S. Catta, **2.00**
Verbes (Les), J. Laurin, **2.50**

LITTERATURE

Amour, police et morgue, J.M. Laporte, **1.00**
Bigaouette, R. Lévesque, **2.00**
Bousille et les Justes, G. Gélinas, **2.00**
Candy, Southern & Hoffenberg, **3.00**
Cent pas dans ma tête (Les), P. Dudan, **2.50**
Commettants de Caridad (Les), Y. Thériault, **2.00**
Des bois, des champs, des bêtes, J.C. Harvey, **2.00**
Dictionnaire d'un Québécois, C. Falardeau, **2.00**
Ecrits de la Taverne Royal, collaboration, **1.00**
Gésine, Dr R. Lecours, **2.00**
Hamlet, Prince du Québec, R. Gurik, **1.50**
Homme qui va (L'), J.C. Harvey, **2.00**
J'parle tout seul quand j'en narrache, E. Coderre, **2.00**
Mort attendra (La), A. Malavoy, **1.00**
Malheur a pas des bons yeux, R. Lévesque, **2.00**
Marche ou crève Carignan, R. Hollier, **2.00**
Mauvais bergers (Les), A.E. Caron, **1.00**
Mes anges sont des diables, J. de Roussan, **1.00**
Montréalités, A. Stanké, **1.00**
Mort d'eau (La), Y. Thériault, **2.00**
Ni queue, ni tête, M.C. Brault, **1.00**
Pays voilés, existences, M.C. Blais, **1.50**
Pomme de pin, L.P. Dlamini, **2.00**
Pour la grandeur de l'homme, C. Péloquin, **2.00**
Printemps qui pleure (Le), A. Thério, **1.00**
Prix David, C. Hamel, **2.50**
Propos du timide (Les), A. Brie, **1.00**
Roi de la Côte Nord (Le), Y. Thériault, **1.00**
Temps du Carcajou (Les), Y. Thériault, **2.50**
Tête blanche, M.C. Blais, **2.50**
Tit-Coq, G. Gélinas, **2.00**
Toges, bistouris, matraques et soutanes, collaboration, **1.00**
Un simple soldat, M. Dubé, **1.50**
Valérie, Y. Thériault, **2.00**
Vertige du dégoût (Le), E.P. Morin, **1.00**

LIVRES PRATIQUES – LOISIRS

Apprenez la photographie avec Antoine Desilets, A. Desilets, **3.50**
Bricolage (Le), J.M. Doré, **3.00**
Cabanes d'oiseaux (Les), J.M. Doré, **3.00**
Camping et caravaning, J. Vic et R. Savoie, **2.50**
Cinquante et une chansons à répondre, P. Daigneault, **2.00**
Comment prévoir le temps, E. Neal, **1.00**
Conseils à ceux qui veulent bâtir, A. Poulin, **2.00**
Conseils aux inventeurs, R.A. Robic, **1.50**
Couture et tricot, M.H. Berthouin, **2.00**
Décoration intérieure (La), J. Monette, **3.00**
Guide complet de la couture (Le), L. Chartier, **3.50**
Guide de l'astrologie (Le), J. Manolesco, **3.00**
Guide de la haute-fidélité, G. Poirier, **4.00**
Hypnotisme (L'), J. Manolesco, **3.00**
Informations touristiques, la France, Deroche et Morgan, **2.50**
Informations touristiques, le Monde, Deroche, Colombani, Savoie, **2.50**
Insolences d'Antoine, A. Desilets, **3.00**
Interprétez vos rêves, L. Stanké, **3.00**
Jardinage (Le), P. Pouliot, **3.00**
J'al découvert Tahiti, J. Languirand, **1.00**
Je développe mes photos, A. Desilets, **5.00**
Je prends des photos, A. Desilets, **4.00**
Jeux de société, L. Stanké, **2.00**
J'installe mon équipement stéro, T. I et II, J.M. Doré, **3.00 ch.**
Juste pour rire, C. Blanchard, **2.00**
Météo (La), A. Ouellet, **3.00**
Origami I, R. Harbin, **2.00**
Origami II, R. Harbin, **3.00**
Poids et mesures, calcul rapide, L. Stanké, **3.00**
Pourquoi et comment cesser de fumer, A. Stanké, **1.00**
La retraite, D. Simard, **2.00**
Technique de la photo, A. Desilets, **4.00**
Techniques du jardinage (Les), P. Pouliot, **5.00**
Tenir maison, F.G. Smet, **2.00**
Tricot (Le), F. Vandelac, **3.00**
Trucs de rangement no 1, J.M. Doré, **3.00**
Trucs de rangement no 2, J.M. Doré, **3.00**
Une p'tite vite, G. Latulippe, **2.00**
Vive la compagnie, P. Daigneault, **2.00**
Voir clair aux échecs, H. Tranquille, **3.00**
Voir clair aux dames, H. Tranquille, **3.00**
Votre avenir par les cartes, L. Stanké, **3.00**
Votre discothèque, P. Roussel, **4.00**

LE MONDE DES AFFAIRES ET LA LOI

ABC du marketing (L'), A. Dahamni, **3.00**
Bourse, (La), A. Lambert, **3.00**
Budget (Le), collaboration, **3.00**
Ce qu'en pense le notaire, Me A. Senay, **2.00**
Connaissez-vous la loi? R. Millet, **2.00**
Cruauté mentale, seule cause du divorce? (La), Me Champagne et Dr Léger, **2.50**
Dactylographie (La), W. Lebel, **2.00**
Dictionnaire des affaires (Le), W. Lebel, **2.00**
Dictionnaire économique et financier, E. Lafond, **4.00**
Dictionnaire de la loi (Le), R. Millet, **2.50**
Dynamique des groupes, Aubry-Saint-Arnaud, **1.50**
Guide de la finance (Le), B. Pharand, **2.50**
Loi et vos droits (La), Me P.A. Marchand, **4.00**
Secrétaire (Le/La) bilingue, W. Lebel, **2.50**

PATOF

Cuisinons avec Patof, J. Desrosiers, **1.29**
Patof raconte, J. Desrosiers, **0.89**
Patofun, J. Desrosiers, **0.89**

RELIGION

Abbé Pierre parle aux Canadiens (L'), A. Pierre, **1.00**

Chrétien en démocratie (Le), Dion-O'Neil, **1.00**

Chrétien et les élections (Le), Dion-O'Neil, **1.50**

Eglise s'en va chez le diable (L') Bourgeault-Caron-Duclos, **2.00**

LE SEL DE LA SEMAINE

Louis Aragon, 1.00

François Mauriac, 1.00

Jean Rostand, 1.00

Michel Simon, 1.00

Han Suyin, 1.00

SANTE, PSYCHOLOGIE, EDUCATION

Activité émotionnelle, P. Fletcher, **3.00**

Apprenez à connaître vos médicaments, R. Poitevin, **3.00**

Complexes et psychanalyse, P. Valinieff, **2.50**

Comment vaincre la gêne et la timidité, R.S. Catta, **2.00**

Communication et épanouissement personnel, L. Auger, **3.00**

Cours de psychologie populaire, F. Cantin, **2.50**

Dépression nerveuse (La), collaboration, **2.50**

Développez votre personnalité, vous réussirez, S. Brind'Amour, **2.00**

En attendant mon enfant, Y.P. Marchessault, **3.00**

Femme enceinte (La), Dr R. Bradley, **2.50**

Guérir sans risques, Dr E. Plisnier, **3.00**

Guide des premiers soins, Dr J. Hartley, **3.00**

Guide médical de mon médecin de famille, Dr M. Lauzon, **3.00**

Langage de votre enfant (Le), C. Langevin, **2.50**

Maladies psychosomatiques (Les), Dr R. Foisy, **2.00**

Maladies transmises par relations sexuelles, Dr L. Gendron, **2.00**

Maman et son nouveau-né (La), T. Sekely, **2.00**

Parents face à l'année scolaire (Les), collaboration, **2.00**

Pour vous future maman, T. Sekely, **2.00**

15/20 ans, F. Tournier et P. Vincent, **4.00**

Relaxation sensorielle (La), Dr P. Gravel, **3.00**

Volonté (La), l'attention, la mémoire, R. Tocquet, **2.50**

Vos mains, miroir de la personnalité, P. Maby, **3.00**

Votre écriture, la mienne et celle des autres, F.X. Boudreault, **1.50**

Votre personnalité, votre caractère, Y. Benoist-Morin, **2.00**

Yoga, corps et pensée, B. Leclercq, **3.00**

Yoga, santé totale pour tous, G. Lescouflair, **1.50**

SPORTS

Aérobix, Dr P. Gravel, **2.00**

Aïkido, au-delà de l'agressivité, M. Di Villadorata, **3.00**

Armes de chasse (Les), Y. Jarretie, **2.00**

Baseball (Le), collaboration, **2.50**

Course-Auto 70, J. Duval, **3.00**

Courses de chevaux (Les), Y. Leclerc, **3.00**

Devant le filet, J. Plante, **3.00**

Golf (Le), J. Huot, **2.00**

Football (Le), collaboration, **2.50**

Football professionnel, J. Séguin, **3.00**

Guide de l'auto (Le) (1967), J. Duval, **2.00** **(1968-69-70-71), 3.00 chacun**

Guide du judo, au sol (Le), L. Arpin, **3.00**
Guide du judo, debout (Le), L. Arpin, **3.00**
Guide du self-defense (Le), L. Arpin, **3.00**
Guide du ski: Québec 72, collaboration, **2.00**
Guide du ski 73, Collaboration, **2.00**
Guide du trappeur,
J. Provencher et M. Ouellet, **3.00**
Initiation à la plongée sous-marine,
R. Goblot, **5.00**
Livre des règlements, LNH **1.00**
Match du siècle: Canada-URSS,
D. Brodeur, G. Terroux, **3.00**
Mon coup de patin, le secret du hockey,
J. Wild, **3.00**
Natation (La), M. Mann, **2.50**
Natation de compétition, R. LaCoursière, **3.00**
Parachutisme, C. Bédard, **4.00**
Pêche au Québec (La), M. Chamberland, **3.00**
Petit guide des Jeux olympiques,
J. About-M. Duplat, **2.00**
Puissance au centre, Jean Béliveau,
H. Hood, **3.00**
Ski (Le), W. Schaffler-E. Bowen, **2.50**
Soccer, G. Schwartz, **3.50**
Surhommes du sport, M. Desjardins, **3.00**
Techniques du golf,
L. Brien et J. Barrette, **3.50**
Tennis (Le), W.F. Talbert, **2.50**
Tous les secrets de la chasse,
M. Chamberland, **1.50**
Tous les secrets de la pêche,
M. Chamberland, **2.00**
36-24-36, A. Coutu, **2.00**
Troisième retrait, C. Raymond,
M. Gaudette, **3.00**

Ouvrages parus a L'ACTUELLE JEUNESSE

Crimes à la glace, P.S. Fournier, **1.00**
Echec au réseau meurtrier, R. White, **1.00**
Engrenage, C. Numainville, **1.00**
Feuilles de thym et fleurs d'amour,
M. Jacob, **1.00**
Lady Sylvana, L. Morin, **1.00**
Porte sur l'enfer, M. Vézina, **1.00**
Silences de la croix du Sud (Les),
D. Pilon, **1.00**
Terreur bleue (La), L. Gingras, **1.00**
Trou, S. Chapdelaine, **1.00**
22,222 milles à l'heure, G. Gagnon, **1.00**

Ouvrages parus a L'ACTUELLE

Aaron, Y. Thériault, **2.50**
Agaguk, Y. Thériault, **3.00**
Allocutaire (L'), G. Langlois, **3.00**
Bois pourri (Le), A. Maillet, **2.50**
Carnivores (Les), F. Moreau, **2.00**
Carré Saint-Louis, J.J. Richard, **3.00**
Cul-de-sac, Y. Thériault, **3.00**
Danka, M. Godin, **3.00**
Demi-civilisés (Les), J.C. Harvey, **3.00**
Dernier havre (Le), Y. Thériault, **2.50**

Domaine de Cassaubon (Le), G. Langlois, **3.00**
Dompteur d'ours (Le), Y. Thériault, **2.50**
Doux mal (Le), A. Maillet, **2.50**
D'un mur à l'autre, P.A. Bibeau, **2.50**
Et puis tout est silence, C. Jasmin, **3.00**
Fille laide (La), Y. Thériault, **3.00**
Jeu des saisons (Le), M. Ouellette-Michalska, **2.50**
Marche des grands cocus (La), R. Fournier, **3.00**
Monsieur Isaac, N. de Bellefeuille et G. Racette, **3.00**
Mourir en automne, C. DeCotret, **2.50**
Neuf jours de haine, J.J. Richard, **3.00**
N'Tsuk, Y. Thériault, **2.00**
Ossature, R. Morency, **3.00**
Outaragasipi (L'), C. Jasmin, **3.00**
Petite Fleur du Vietnam, C. Gaumont, **3.00**
Pièges, J.J. Richard, **3.00**
Porte Silence, P.A. Bibeau, **2.50**
Requiem pour un père, F. Moreau, **2.50**
Scouine (La), A. Laberge, **3.00**
Tayaout, fils d'Agaguk, Y. Thériault, **2.50**
Tours de Babylone (Les), M. Gagnon, **3.00**
Vendeurs du Temple, Y. Thériault, **3.00**
Visages de l'enfance (Les), D. Blondeau, **3.00**

Ouvrages parus aux PRESSES LIBRES

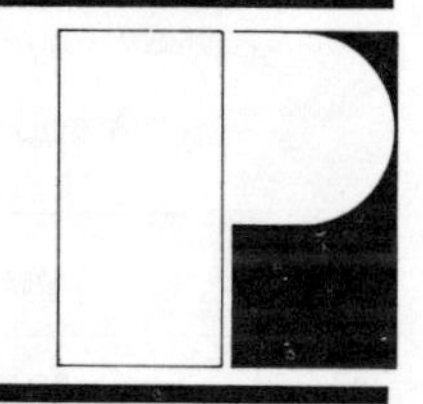

Amour (L'), collaboration, **6.00**
Amour humain (L'), R. Fournier, **2.00**
Anik, Gilan, **3.00**
Anti-sexe (L'), J.P. Payette, **3.00**
Ariâme . . .Plage nue, P. Dudan, **3.00**
Assimilation pourquoi pas? (L'), L. Landry, **2.00**
Aventures sans retour, C.J. Gauvin, **3.00**
Bateau ivre (Le), M. Metthé, **2.50**
Cent positions de l'amour (Les), H. Benson, **3.00**
Comment devenir vedette, J. Beaulne, **3.00**
Couple sensuel (Le), Dr L. Gendron, **2.00**
Des Zéroquois aux Québécois, C. Falardeau, **2.00**
Emmanuelle à Rome, 5.00
Femme au Québec (La), M. Barthe et M. Dolment, **3.00**
Franco-Fun Kébecwa, F. Letendre, **2.50**
Guide des caresses, P, Valinieff, **3.00**
Incommunicants (Les), L. Leblanc, **3.00**
Initiation à Menke Katz, A. Amprimoz, **1.50**
Joyeux Troubadours (Les), A. Rufiange, **2.00**
Ma cage de verre, M. Metthé, **2.50**
Maria de l'hospice, M. Grandbois, **2.00**
Menues, dodues, Gilan, **3.00**
Mes expériences autour du monde, R. Boisclair, **3.00**
Mine de rien, G. Lefebvre, **2.00**
Monde agricole (Le), J.C. Magnan, **3.50**
Négresse blonde aux yeux bridés, C. Falardeau, **2.00**
Plaidoyer pour la grève et la contestation, A. Beaudet, **2.00**
Positions +, J. Ray, **3.00**
Pour une éducation de qualité au Québec, C.H. Rondeau, **2.00**
Prévisions 71, J. Manolesco, (12 fascicules), **1.00 chacun**
Québec français ou Québec québécois, L. Landry, **3.00**
Rêve séparatiste, L. Rochette, **2.00**
Salariés au pouvoir (Les), Frap, **1.00**
Séparatiste, non, 100 fois non! Comité Canada, **2.00**
Teach-in sur l'avortement, Cegep de Sherbrooke, **3.00**
Terre a une taille de guêpe (La), P. Dudan, **3.00**
Tocap, P. de Chevigny, **2.00**
Virilité et puissance sexuelle, M. Rouet, **3.00**
Voix de mes pensées (La), E. Limet, **2.50**

Diffusion Europe

Vander, Muntstraat 10, 3000 Louvain, Belgique

CANADA	BELGIQUE	FRANCE
$2.00	100 FB	12 F
$2.50	125 FB	15 F
$3.00	150 FB	18 F
$3.50	175 FB	21 F
$4.00	200 FB	24 F
$5.00	250 FB	30 F
$6.00	300 FB	36 F